D0756400

LES TROIS JOURS DU CONDOR

JAMES GRADY

LES TROIS JOURS DU CONDOR

traduit de l'américain
par Jean-René Major et Sylvie Messinger

PIERRE BELFOND

3 bis, passage de la Petite-Boucherie
Paris 6e

Ce livre a été publié sous le titre original
« Six Days of the Condor »
par W. W. Norton and C°. Inc. New York

ISBN 2-7144-2013-3

AVERTISSEMENT

Les événements relatés dans ce roman sont imaginaires, du moins à la connaissance de l'auteur. Mais cela n'exclut pas que de semblables événements puissent se produire, car la description des services de Renseignements, de leur organisation et de leurs activités est basée sur des faits réels. La branche de la C.I.A. où Malcolm est employé et le Groupe 54/12 existent, quoique peut-être sous une dénomination plus récente que celle utilisée ici.

Pour la documentation nécessaire à ce récit, l'auteur a eu recours aux sources suivantes : Le Carrousel de Washington, *de Jack Anderson ;* La Politique de l'héroïne dans l'Asie du Sud-Est *de Alfred W. Mac Coy ;* La C.I.A., Son Histoire Interne *de Andrew Tully ;* Le Gouvernement Invisible *et* Le Monde de l'Espionnage *de David Wise et Thomas B. Ross.*

...Nos succès les plus appréciables sont le résultat non de secrètes opérations menées dans l'ombre mais de la patiente lecture, des heures durant, de publications d'un haut niveau technique. Au vrai sens du terme, ils (les distingués et patriotiques chercheurs de la C.I.A.) sont les étudiants professionnels de l'Amérique. Leur rôle est aussi obscur que leur valeur est sans prix.

Président Lyndon B. Johnson,
à la prestation de serment
de Richard M. Helms,
en tant que directeur de la C.I.A.
le 30 juin 1966.

Quatre pâtés de maisons derrière la Bibliothèque du Congrès, juste après l'intersection de South East A et de la Quatrième Rue (c'est la maison suivante), se dresse un bâtiment de deux étages en stuc blanc. Niché parmi les autres immeubles, il passerait inaperçu sans sa couleur : son aspect immaculé tranche sur les rouges, gris ou verts délavés et les rares blancs passés du voisinage. De plus, sa grille basse peinte en noir et sa petite pelouse bien tondue lui confèrent un air de dignité tranquille qui fait défaut aux autres constructions. Néanmoins, peu de gens y prêtent attention. Les habitants du quartier l'ont intégré depuis longtemps à leur univers familier. Les douzaines de travailleurs du Capitole et de la Bibliothèque du Congrès, qui passent devant chaque jour, n'ont pas le temps de s'y intéresser et ne le feraient probablement pas, s'ils l'avaient. A cause de sa situation, presque à l'écart de la colline, les hordes de touristes ne s'en approchent jamais. Les rares égarés sont généralement à la recherche d'un agent de police qui les tire de ces lieux manifestement arides pour les remettre sur le chemin sécurisant des monuments nationaux.

Si, pour une raison bizarre, un passant était attiré par ce bâtiment et lui prêtait plus d'attention, sa curiosité ne lui apprendrait que peu de choses sortant de l'ordinaire. En se tenant à l'extérieur de la grille, la première chose qu'il remarquerait serait sans doute une plaque de bronze de soixante centimètres sur quatre-vingt-dix qui lui indiquerait que cet immeuble est le siège national de la Société américaine de

Littérature historique. A Washington, cité où des centaines d'organismes ont leur siège social ou des succursales, un tel bâtiment n'a rien d'exceptionnel. Si ce passant a un regard pour l'architecture et la décoration de la bâtisse, la porte de bois noir ouvragé, percée d'un mouchard aux dimensions curieusement vastes, provoquera chez lui un amusement intrigué. Si la curiosité de notre passant n'est pas tenue en bride par sa timidité, il se peut qu'il pousse la grille. Il ne remarquera certainement pas le léger déclic de la targette magnétique qui coupe un circuit électrique. En quelques courtes enjambées, notre passant aura gravi les marches métalliques noires qui mènent au perron et appuiera sur la sonnette.

Si, comme c'est habituellement le cas, Walter boit son café dans la petite cuisine, range des caisses de livres ou balaie, le mythe de la sécurité ne sera même pas dévoilé. Le visiteur entendra la voix rèche de Mme Russel mugir « Entrez ! » juste avant qu'elle presse le bouton placé sur son bureau et qui déclenche le verrou électronique.

Ce qui frappe dès l'abord un visiteur du siège de la Société est l'extrême bonne tenue des lieux. Se trouvant au pied de l'escalier, ses yeux seront probablement au niveau de la partie supérieure du bureau de Walter, situé à une dizaine de centimètres en retrait du bord de la cage. Il n'y a jamais le moindre papier sur le bureau de Walter et, de toute façon, avec sa face avant blindée, sa destination n'a jamais été de recevoir du papier. Ayant tourné sur sa droite et gravi quelques marches, le visiteur aperçoit Mme Russel. A l'opposé de celui de Walter, son bureau à elle est jonché de papiers. Ils le recouvrent, débordent des tiroirs, dissimulent sa machine à écrire d'un modèle ancien. Mme Russel est assise derrière ce taillis de paperasses. Ses cheveux gris et fins sont généralement en bataille. Et il lui en reste trop peu pour que sa physionomie puisse en tirer quelque avantage. Une broche en forme de fer à cheval datée de 1932 orne ce qui fut jadis un sein gauche. Mme Russel fume sans discontinuer.

Rares sont les étrangers — à l'exception des facteurs et des télégraphistes — qui pénètrent si avant au siège de la Société. Ceux-là, après avoir été examinés par l'œil scrutateur de

Walter (s'il est à son poste), sont confrontés à Mme Russel. Si l'étranger vient pour des raisons professionnelles, elle le dirige sur la personne concernée, quand elle veut bien le laisser passer. S'il n'est qu'un brave curieux, elle lui assène cinq minutes d'un topo insipide et sans queue ni tête sur les principes qui ont présidé à la fondation de la Société, les buts qu'elle poursuit en matière d'analyse, de promotion et de réalisation littéraire (catalogués sous la dénomination de « fonction A.P.R. »), bourre ses mains d'opuscules qu'il ne désire nullement, lui déclare qu'il n'y a personne dans la maison qui soit susceptible de lui en dire davantage, lui conseille d'écrire, sans spécifier où, pour obtenir de plus amples renseignements et conclut par un « au revoir » sans réplique. Les visiteurs sont immanquablement abasourdis par cet assaut et s'esquivent docilement, et probablement sans remarquer ni le boîtier, posé sur le bureau de Walter qui a pris leur photographie, ni la lampe rouge et l'avertisseur sonore qui, au-dessus de la porte d'entrée, signalent l'ouverture de la grille. Le désappointement du visiteur se muerait en stupéfaction s'il venait à apprendre qu'il sort des bureaux d'une section auxiliaire d'un service de la Division Renseignement de la C.I.A.

L'Acte de Sécurité nationale de 1947 a créé la « Central Intelligence Agency », fruit de cette expérience de la Seconde Guerre mondiale qui nous vit transformés en lapins ahuris, à Pearl Harbor. L'Agence, ou la Compagnie, comme nombre de ses employés l'appellent, est le noyau le plus important et le plus actif du très vaste réseau d'espionnage des Etats-Unis, réseau constitué par onze agences principales, employant près de deux cent mille personnes et soutenu par un budget annuel se montant à des milliards de dollars.

Les activités de la C.I.A., comme celles de ses principaux homologues — le M16 britannique, le K.G.B. russe et le Département des Affaires sociales de la Chine rouge — englobent des domaines très divers qui vont de l'espionnage classique aux opérations paramilitaires ouvertes, en passant par la recherche technique, la création de groupes d'action politique plus ou moins autonomes et le soutien aux gouvernements amis. L'extrême variété des activités de cet organisme, s'ajoutant à sa misison fondamentale de sécurité nationale dans un monde troublé, a fait de l'agence de renseignement un des principaux auxiliaires du gouvernement. En Amérique, l'ancien directeur de la C.I.A., Allen Dulles, a déclaré un jour : « L'Acte de Sécurité nationale de 1947... a conféré au Renseignement une position plus influente au sein de notre gouvernement que le Renseignement n'en bénéficie au sein d'aucun autre gouvernement au monde. »

La principale activité de la C.I.A. consiste en une étude banale et minutieuse. Des centaines de chercheurs dépouillent quotidiennement des revues techniques, des publications nationales et étrangères de toute nature, des discours, des émissions de radio et de télévision. Cette recherche est répartie entre deux des quatre divisions de la C.I.A. La Division Etudes (DE) est chargée du renseignement technique et ses experts fournissent des rapports détaillés sur les dernières découvertes scientifiques du monde entier, y compris les Etats-Unis et leurs alliés. La Division Renseignement (DR) poursuit une forme hautement spécialisée de recherche spéculative. Environ quatre-vingts pour cent des informations que recueille la DR proviennent de sources « ouvertes » : revues, émissions, journaux et livres accessibles au public. La DR en résume le contenu et tire de ces éléments trois types principaux de rapports : le premier fournit des perspectives à longue échéance concernant des zones d'intérêt ; le second, une analyse quotidienne de la situation mondiale ; et le troisième tente de déceler d'éventuelles défaillances dans les activités de la C.I.A.

Les informations recueillies par la DE et la DR sont exploitées par les deux autres divisions : le Soutien (la section administrative chargée de la logistique, de l'équipement, de la sécurité et des communications) et les Plans (toutes les opérations secrètes, l'espionnage proprement dit).

La Société américaine de Littérature historique, avec son siège à Washington et un petit bureau de réception à Seattle, est une section auxiliaire d'un des plus modestes départements de la C.I.A. Du fait de la nature fictive des renseignements qu'il recueille, ce service n'a que des liens assez lâches avec la DR et, partant, avec la C.I.A. prise dans son entité. Les rapports issus de ce département (qui a pour dénomination officielle : Département 17 CIADR) n'entrent de façon substancielle dans aucune des trois catégories de grands rapports. En fait, le Dr Lappe, le très sérieux et très actif directeur de la Société (officiellement dénommée Section 9, Département 17 CIADR), s'échine à rédiger des rapports hebdomadaires, mensuels et annuels dont on ne trouve même pas trace dans les rapports du Département 17, auquel il est affilié. A leur tour, les rapports du Département 17 ne font souvent aucune impression sur les coordinateurs de l'échelon supérieur et les informations qu'ils contiennent ne sont donc reprises par aucun des rapports de la DR. *C'est la vie* *.

La fonction du Département 17 et de la Société est de relever tout ce qui a trait à l'espionnage ou s'y apparente en littérature. En d'autres termes, ce Département lit des histoires d'espionnage et des romans policiers. Les élucubrations et les inventions de milliers de livres de suspense et d'action sont soigneusement consignées et analysées dans les classeurs du Département 17. Des livres datant d'une époque aussi ancienne que celle de James Fenimore Cooper ont été passés au peigne fin.

Les volumes que possède la « Compagnie » sont en majeure partie entreposés au complexe central de la C.I.A., à Langley, en Virginie, mais le siège de la Société en conserve près de trois mille en bibliothèque.

A une certaine époque, le Département était logé à la Brasserie Christian Heurich, près du Département d'Etat, mais, en automne 1961, quand la C.I.A. déménagea pour son complexe de Langley, le Département fut transféré en Virginie, dans la périphérie. En 1970, la masse toujours croissante de cette littérature spécialisée commença à poser des problèmes de locaux et de budget au Département. En outre, le sous-directeur de la DR remit en cause le principe de l'emploi d'analystes soigneusement sélectionnés et, de ce fait, largement payés. En conséquence, ce Département rouvrit sa section auxiliaire à Washington même cette fois, à une distance raisonnable de la

* *En français dans le texte.*

Bibliothèque du Congrès. Ses employés, travaillant en dehors du complexe central, n'avaient à subir qu'un examen de sécurité superficiel, et non l'examen complet de Haute-Sécurité exigé pour l'engagement au complexe. Naturellement, leurs salaires étaient moins élevés.

Les analystes travaillant pour le Département suivent la production littéraire et se partagent leur activité de base par consentement mutuel. Chaque analyste a ses domaines d'expertise, habituellement définis par auteur. Outre le dépouillement des intrigues et des procédés décrits dans tous les livres, les analystes examinent une série de rapports particulièrement succincts qu'ils reçoivent quotidiennement du complexe de Langley. Ces rapports contiennent une description elliptique d'événements réels, sans indication du nom des protagonistes et avec le minimum de détails nécessaires. La réalité et la fiction sont comparées et, si d'importantes concordances se révèlent, l'analyste entreprend une étude plus poussée, sur la base d'un rapport plus détaillé mais toujours aussi squelettique. Si les concordances demeurent, l'information et les rapports sont transmis pour examen à une section supérieure du Département. A un autre échelon, on décide alors si l'auteur, en fabulant, est tombé juste ou s'il en savait plus qu'il n'aurait dû. Dans ce dernier cas, l'auteur joue de malchance pour de bon, car un rapport est aussitôt expédié à la Division Plans pour intervention.

On demande également aux analystes d'établir des listes d'idées utiles aux agents. Ces listes sont transmises aux instructeurs de la Division Plans, toujours à l'affût de nouvelles astuces.

Ronald Malcolm était censé travailler sur une de ces listes, ce matin-là, mais, au lieu de cela, il était assis à califourchon sur une chaise de bois, le menton posé sur le dossier en noyer éraflé. Il était 8 h 45 et il était assis là depuis qu'il avait grimpé l'escalier en spirale jusqu'à son bureau du premier étage à 8 h 30, répandant son café chaud et jurant à haute voix tout le long du trajet.

Le café était avalé depuis longtemps et Malcolm avait fort

envie d'une seconde tasse, mais il n'osait pas quitter sa fenêtre des yeux.

Sauf empêchement de santé, chaque matin, entre 8 h 40 et 9 heures, une fille incroyablement belle, remontant South-east A., passait sous la fenêtre de Malcolm et entrait à la Bibliothèque du Congrès. Et chaque matin, sauf empêchement de santé ou travail urgentissime, Malcolm la regardait, pendant le court instant où elle traversait son champ visuel. C'était devenu un rite qui aidait Malcolm à trouver raisonnable de sortir d'un lit parfaitement confortable pour se raser et aller au travail. Au commencement, c'était le désir qui avait prédominé dans l'attitude de Malcolm, mais ce désir avait été progressivement remplacé par une fascination qui allait bien au-delà. En février, il avait même renoncé à y réfléchir et maintenant, deux mois après, il se contentait d'attendre et de regarder.

C'était la première véritable journée de printemps. Plus tôt dans l'année, il y avait eu des rayons de soleil entre des jours généralement pluvieux, mais pas de vrai printemps. Aujourd'hui, depuis l'aurore, le beau temps s'installait. Une senteur annonciatrice de cerisiers en fleurs flottait dans la brume matinale. Du coin de l'œil, Malcolm la vit arriver et il approcha sa chaise de la fenêtre.

La jeune fille ne marchait pas, elle avançait d'un pas décidé, avec une fierté puisée dans une confiance en soi tout à la fois sans vanité et inébranlable. Ses cheveux bruns luisants tombaient dans son dos, balayaient ses épaules et s'arrêtaient à mi-chemin de sa taille fine. Elle ne se maquillait pas et, lorsqu'elle ne portait pas de lunettes de soleil, on pouvait constater que ses grands yeux bien espacés s'accordaient parfaitement avec son nez droit, sa large bouche, son visage plein, son menton carré. Son tricot brun ajusté moulait son opulente poitrine, haute, malgré l'absence de soutien-gorge. Sa jupe écossaise laissait voir des cuisses fermes, presque trop musclées. Ses mollets s'affinaient jusqu'aux chevilles. Encore trois enjambées et elle disparut.

Malcolm soupira et se redressa sur sa chaise. Une feuille à moitié dactylographiée était engagée sur le chariot de sa machine. Il jugea que cela constituait un démarrage convenable pour sa matinée de travail. Il rota bruyamment, prit sa tasse vide et quitta son petit bureau rouge et bleu.

En arrivant à l'escalier, Malcolm s'arrêta. Il y avait deux cafetières dans la maison, l'une au rez-de-chaussée dans le petit coin cuisine du bureau de Mme Russel, et l'autre au second étage, sur la table où on emballait les paquets, derrière les étagères à claire-voie. Chaque cafetière avait ses avantages et ses inconvénients. La cafetière du rez-de-chaussée était plus grande et servait davantage d'usagers. En plus de Mme Russel et de l'ancien sous-officier instructeur Walter (« Sergent Jennings, s'il vous plaît ! »), le Dr Lappe et le nouveau responsable de la bibliothèque, Heidegger, avaient leurs bureaux en bas et, en vertu du schéma d'implantation, utilisaient cette cafetière. Le café était bien entendu confectionné par Mme Russel dont les nombreuses imperfections n'incluaient pas l'absence de vertus ménagères. La cafetière du rez-de-chaussée présentait néanmoins un double inconvénient. Si Malcolm ou Ray Thomas, l'autre analyste du premier étage, allaient s'y servir, ils couraient le risque de tomber sur le Dr Lappe. Ces rencontres n'étaient pas agréables. L'autre inconvénient était le parfum de Mme Russel, que Ray avait surnommée Polly, Pois de Senteur.

L'utilisation de la cafetière du second était plus restreinte, puisque seuls Harold Martin et Tamatha Reynolds, les deux autres analystes, lui étaient affectés en permanence. Ray ou Malcolm utilisaient parfois leur option. Aussi souvent qu'il l'osait, Walter allait faire un tour pour boire un petit coup et se rincer l'œil aux formes délicates de Tamatha. Tamatha était une chic fille, mais elle n'avait aucun don pour le café. En plus du fait de s'exposer à une atrocité gustative en choisissant la cafetière du second, Malcolm risquait d'être épinglé par Harold Martin et bombardé des derniers résultats, classements et commentaires sportifs, suivis de récits nostalgiques de ses prouesses de collège. Il décida d'aller en bas.

Mme Russel gratifia Malcolm de son dédaigneux grognement habituel lorsqu'il passait près de son bureau. Parfois, juste pour voir si elle avait changé, Malcolm s'arrêtait pour un brin de causette avec elle. Elle se mettait alors à brasser ses paperasses et quel que fût le sujet de conversation abordé par Malcolm, se lançait dans un monologue ininterrompu, pour se plaindre de tout le travail qu'elle abattait, de sa santé chancelante et du peu de cas qu'on faisait d'elle. Ce matin-là, Malcolm se limita à un sourire sardonique et à une inclinaison de tête exagérée.

Au moment de remonter avec sa tasse de café, Malcolm entendit s'ouvrir une porte de bureau et se raidit en prévision d'un cours du Dr Lappe.

— Oh, ah, M. Malcolm, puis-je... puis-je vous dire un mot ?

Fausse alerte. C'était Heidegger et non le Dr Lappe qui l'interpellait. Malcolm soupira et sourit pour se retourner et se trouver en face d'un petit bonhomme rubicond et dont même le crâne chauve rougeoyait. L'inévitable col dur blanc étroitement cravaté de noir coupait la grosse tête du reste du corps.

— Salut, Rich, dit Malcolm. Ça va ?

— Très bien, Ron. Très bien.

Heidegger ricana. Malgré six mois de totale abstinence et de dur labeur, ses nerfs étaient toujours à vif. Lui demander de ses nouvelles, même par courtoisie, lui rappelait le temps où il allait boire en cachette dans les lavabos de la C.I.A. et mâchait frénétiquement du chewing-gum pour masquer son haleine. Après avoir fait des aveux « spontanés », être passé par les affres du renvoi et avoir repris un peu ses esprits, les médecins lui dirent que le service de sécurité chargé de la surveillance des toilettes exigeait sa mutation.

— Voudriez-vous, je veux dire, pourriez-vous entrer un instant ?

Toute distraction était la bienvenue.

— Bien sûr, Rich.

Ils entrèrent dans la petite pièce affectée au bibliothécaire et s'assirent, Heidegger derrière son bureau, Malcolm sur la vieille chaise rembourrée, laissée là par le précédent locataire de l'immeuble. Pendant quelques secondes, ils demeurèrent silencieux.

Pauvre petit bonhomme, pensait Malcolm. Innocent pétochard qui espère toujours rentrer en faveur. Qui espère encore retrouver sa qualification dans « l'ultra-secret » de façon à quitter ce bureau verdâtre et poussiéreux, pour un autre bureau tout aussi poussiéreux mais plus secret. Si tu as de la chance, se disait Malcolm, peut-être ton prochain bureau sera-t-il d'une des trois autres couleurs destinées à « maximaliser l'efficacité de l'environnement administratif » ; tu pourrais même avoir un bureau d'un joli bleu, de la même teinte lénitive que trois de mes murs, et que des centaines d'autres bureaux de l'administration.

— Bon ! L'éclat de voix d'Heidegger résonna dans la pièce. Soudain conscient du volume de sa voix, le petit homme se rencogna sur sa chaise et reprit : « Je... je suis navré de vous embêter avec ça... »

— Oh, vous ne me dérangez pas du tout.

— Bon. Eh bien, Ron — ça ne vous ennuie pas que je vous appelle Ron, n'est-ce pas ? —, eh bien, comme vous le savez, je suis nouveau venu dans cette section. Pour me familiariser avec son fonctionnement, j'ai jugé bon de parcourir les registres de ces années passées. » Il eut un petit rire nerveux. « Les exposés du Dr Lappe présentent, oserais-je dire, quelques lacunes. »

Malcolm joignit son rire au sien. Quiconque riait du docteur Lappe avait un certain culot. Malcolm décida qu'Heidegger pouvait être sympathique après tout.

Heidegger poursuivit : « Bon. Vous êtes ici depuis deux ans, n'est-ce pas ? Depuis le transfert de Langley ? »

Exact, pensa Malcolm, en approuvant de la tête. Deux ans, deux mois et quelques jours insipides.

— Bon. Eh bien, j'ai découvert quelques... anomalies que je crois nécessaire de tirer au clair et j'ai pensé que vous pourriez peut-être m'aider. » Heidegger marqua un temps et Malcolm répondit d'un haussement d'épaules consentant mais interrogateur. « Voilà, j'ai trouvé deux choses curieuses, ou plutôt des choses curieuses dans deux domaines différents. »

« La première concerne la main courante, vous savez l'argent qui entre et sort pour payer les menus frais, les appointements, tout ce que vous voudrez. Vous ne savez probablement rien à ce sujet, je pense. Mais la seconde concerne les livres, et je contrôle avec vous et les autres analystes pour voir si je peux découvrir quelque explication, avant d'adresser un rapport écrit au Dr Lappe. » Il attendait un second signe d'encouragement. Malcolm le lui accorda.

« Auriez-vous quelquefois, enfin, auriez-vous remarqué que des livres manquaient ? Non, attendez, dit-il en voyant l'air ébahi de Malcolm, je vais m'exprimer autrement. Seriez-vous au courant d'une circonstance où nous n'aurions pas reçu des livres que nous aurions commandés ou que nous aurions dû recevoir ?

— Non, je ne vois pas, dit Malcolm que cela commençait à ennuyer. Si vous pouviez me dire ceux qui manquent ou qui pourraient manquer...

Il laissa sa phrase en suspens et Heidegger en profita pour enchaîner.

— Eh bien, justement, je ne sais pas vraiment, je veux dire que je ne suis pas certain qu'il en manque, ou, s'il en manque, lesquels, ou même pour quelle raison. C'est très troublant.

Malcolm l'approuva en silence.

— Voyez-vous, poursuivit Heidegger, dans le courant de 1968, nous avons reçu un envoi de livres de notre agence de Seattle. Nous avons reçu tous les volumes qu'ils nous ont expédiés mais, par hasard, je me suis aperçu que le réceptionniste avait enregistré l'entrée de *cinq* caisses de livres. Pourtant, la fiche de mouvement qui, je dois le préciser, porte à la fois l'estampille de contrôle et la signature de notre agent à Seattle et de l'entreprise de transport, annonce *sept* caisses. Ce qui signifie qu'il nous manque deux caisses de livres, sans qu'aucun livre ne nous manque en réalité. Comprenez-vous ce que je veux dire ?

Mentant à demi, Malcolm répondit :

— Oui, je comprends ce que vous dites, bien que je pense qu'il ne peut s'agir que d'une erreur. Quelqu'un, sans doute le réceptionnaire, a mal compté. De toute façon, vous dites qu'il ne manque pas de livres. Alors pourquoi ne pas laisser courir ?

— Vous ne comprenez pas ! s'exclama Heidegger, se lançant en avant et surprenant Malcolm par l'intensité de sa voix.

Je suis responsable de ces registres. Quand j'ai pris mon poste, j'ai dû certifier que tout m'était remis en bonne et due forme. Je l'ai fait et cette erreur entache mes registres ! Cela fait mauvais effet et, si jamais on la découvre, c'est moi qu'on blâmera. Moi ! » Il termina sa harangue penché en avant sur son bureau et criant presque.

Malcolm était profondément ennuyé. La perspective d'entendre Heidegger divaguer à propos d'anomalies d'inventaire ne l'intéressait pas le moins du monde. Il n'aimait pas non plus la façon dont les yeux d'Heidegger s'enflammaient derrière le verre épais de ses lunettes lorsqu'il s'excitait. Il était temps de s'esquiver. Il se pencha vers Heidegger.

— Ecoutez, Rich, dit-il. Je comprends que ce cafouillage vous cause des problèmes, mais je crains de ne pas pouvoir vous aider à les résoudre. Peut-être qu'un des autres analystes en saura plus long que moi là-dessus, mais j'en doute. Si vous voulez mon avis, oubliez toute l'affaire et passez l'éponge. Au cas où vous ne vous en seriez pas douté, c'est ce que Johnson, votre prédécesseur, a toujours fait. Si vous préférez tirer l'affaire au clair, je vous conseille de ne pas en parler au Dr Lappe. Il va être aux quatre cents coups, remuer une gadoue dont on n'a pas idée, en faire une montagne et tout le monde sera embêté.

Malcolm se leva et gagna la porte. En se retournant, il vit un petit homme tremblant, assis derrière un registre ouvert et une lampe d'architecte.

Malcolm attendit d'avoir dépassé le bureau de Mme Russel pour laisser échapper un soupir de soulagement. Il jeta le reste de son café froid dans l'évier et remonta dans son bureau, s'assit, mit les pieds sur la table, péta et ferma les yeux.

Quand il les rouvrit une minute plus tard, ils fixèrent, accrochée au mur à moitié peint en rouge, sa reproduction du Don Quichotte de Picasso. Don Quichotte était responsable de l'excitante situation d'agent de la C.I.A. de Ronald Léonard Malcolm. Deux ans.

En septembre 1970, Malcolm s'était décidé enfin à passer l'examen écrit de sa licence. Pendant les deux premières heures, tout alla comme sur des roulettes : il rédigea un vibrant exposé de l'allégorie de la caverne de Platon, analysa la situation de deux des pèlerins des *Contes de Canterbury* de Chaucer, discuta du symbolisme des rats dans *La Peste* de Camus, et éluda le combat contre l'homosexualité de Holden Caulfield dans *Catcher in the Rye*. Puis, passant à la dernière page, il percuta un mur de brique qui demandait : « Discutez sur le fond au moins trois épisodes significatifs du *Don Quichotte* de Cervantès, en incluant dans la discussion la signification symbolique de chacun de ces épisodes, ses relations avec les deux autres épisodes et sa place dans l'œuvre entière, et montrez comment Cervantès utilise ces péripéties pour caractériser Don Quichotte et Sancho Pança. »

Malcolm n'avait jamais lu *Don Quichotte*. Pendant cinq précieuses minutes, il fixa cet énoncé. Puis, très soigneusement, il prit une copie blanche et commença à écrire :

« Je n'ai jamais lu *Don Quichotte* mais je crois qu'il a été vaincu par un moulin à vent. Je ne sais rien de précis sur ce qui est arrivé à Sancho Pança.

« Les aventures de Don Quichotte et de Sancho Pança, duo généralement considéré comme en quête de justice, peuvent être comparées aux aventures des deux plus célèbres personnages de Rex Stout : Nero Wolfe et Archie Goodwin. Dans *La Montagne Noire*, cette aventure classique de Wolfe, par exemple... »

Quand il eut achevé une longue dissertation sur Nero Wolfe, dans le cadre de *La Montagne Noire*, Malcolm rendit sa copie, rentra chez lui et contempla ses pieds nus.

Deux jours plus tard, il fut convoqué par son professeur de littérature espagnole. A sa grande surprise, il ne fut pas réprimandé pour sa réponse à l'examen. En revanche, le professeur lui demanda s'il s'intéressait aux romans policiers. Surpris, Malcolm avoua la vérité : la lecture de tels ouvrages l'aidait, au collège, à conserver un semblant de santé mentale. En souriant, le professeur lui demanda s'il aimerait ainsi conserver sa santé mentale pour de l'argent ? Naturellement, Malcolm répondit que oui. Le professeur décrocha le téléphone et, ce jour-là, Malcolm déjeuna avec son premier agent de la C.I.A.

Il n'est pas rare que des professeurs, des doyens ou d'autres membres du personnel universitaire servent de recruteurs à la C.I.A. Au début des années 50, un répétiteur de Yale recruta un étudiant qui fut arrêté plus tard, au moment où il s'infiltrait en Chine rouge.

Deux mois plus tard, Malcolm était finalement reconnu « apte à un emploi délimité », comme le sont dix-sept pour cent des fonctionnaires de la C.I.A. Après une très courte période d'entraînement spécial, Malcolm gravit la modeste volée de marches métalliques de la Société américaine de Littérature historique, à la rencontre de Mme Russel, du Dr Lappe et de sa première journée d'agent de renseignement, sortant du nid.

Malcolm soupira en regardant son mur, témoin de son combat victorieux contre le Dr Lappe. Au troisième jour de travail, Malcolm abandonna le complet et la cravate. Une semaine d'allusions discrètes et de sous-entendus s'écoula, avant que le Dr Lappe se décide à le convoquer pour un petit entretien au sujet de « l'étiquette ». Le bon docteur admettait bien que la bureaucratie puisse par certains côtés être un peu étouffante, mais cela n'en impliquait pas moins la découverte d'une autre méthode que le port d'une « tenue négligée » pour laisser pénétrer l'air du large. Malcolm ne dit rien mais le lendemain matin, il se présenta au travail de bonne heure, convenablement vêtu et cravaté et porteur d'une grande boîte. Lorsque Walter en avertit le Dr Lappe à dix heures, Malcolm avait presque fini de peindre un de ses murs en rouge pompier. Le Dr Lappe conserva un silence accablé, tandis que Malcolm lui expliquait d'un air innocent sa nouvelle méthode pour laisser pénétrer l'air du large. Quand deux autres analystes commencèrent à faire irruption dans le bureau pour clamer leur admiration, le bon docteur émit paisiblement l'opinion que Malcolm avait peut-être eu raison de vouloir égayer l'aspect extérieur des personnes, plutôt que celui de l'établissement. Sincèrement, Malcolm l'approuva sur-le-champ. La peinture rouge et les pinceaux furent rangés dans un cagibi du second étage, le complet et la cravate de Malcolm disparurent de nouveau. Le Dr Lappe préférait une rébellion individuelle à un mouvement révolutionnaire contre la propriété du gouvernement.

Malcolm poussa un soupir mélancolique, avant de se plonger dans la description d'une méthode de création de situations à « huis-clos » employée par John Dickson Carr.

Pendant ce temps, Heidegger n'était pas resté inactif. Il avait retenu le conseil de Malcolm concernant le Dr Lappe, mais il avait trop peur pour tenter de dissimuler une erreur à la Compagnie. S'ils étaient capables de vous prendre en flagrant délit dans les lavabos, on n'était en sûreté nulle part. Il savait aussi que s'il pouvait réussir un coup d'éclat, rectifier un fonctionnement défectueux ou, du moins, montrer qu'il était apte à discerner certains problèmes, ses chances de retour en grâce en seraient grandement accrues. Son ambition et sa prétention (combinaison toujours dangereuse) poussèrent donc Richard Heidegger à commettre l'erreur de sa vie.

Il rédigea un court mémoire à l'intention du chef du Département 17. En termes soigneusement choisis, obscurs mais sensés, il narra ce qu'il avait raconté à Malcolm. Tous les mémos étaient habituellement visés par le Dr Lappe mais des exceptions pouvaient se produire. Si Heidegger avait suivi la procédure normale, rien ne serait arrivé, car le Dr Lappe n'aurait jamais laissé un mémoire critiquant sa section parvenir à l'échelon supérieur. Heidegger s'en doutait, c'est pourquoi il mit lui-même son enveloppe dans le sac du courrier.

Deux fois par jour, une le matin, l'autre le soir, deux voitures occupées par des hommes armés jusqu'aux dents relevaient et distribuaient le courrier intérieur dans toutes les sous-stations de la C.I.A. de l'arrondissement de Washington. Le courrier ramassé était emporté à Langley, à quinze kilomètres de là, où on le triait. Le mémoire de Rich partit avec la levée du soir.

Il arriva une chose étrange et pas catholique au mémoire de Rich. Comme tout le courrier destiné à la Société ou venant d'elle, le mémoire disparut de la salle de tri avant le début de la distribution officielle. Le mémoire réapparut sur la table d'un personnage asthmatique installé dans un spacieux bureau de l'aile orientale. L'homme le lut deux fois : la première, très vite, la seconde, très très lentement. Il quitta la pièce et donna des instructions pour que tous les documents concernant la Société disparaissent et soient immédiatement transférés en un certain lieu à Washington. Puis il revint et fixa par téléphone un rendez-vous dans une banale exposition de tableaux. Ensuite, il se déclara souffrant et prit un bus pour la ville. Dans l'heure qui suivit, il était en conversation sérieuse avec un gentleman à l'air distingué qui aurait pu être un banquier. Ils parlèrent en déambulant sur Pennsylvania Avenue.

Ce même soir, le gentleman à l'air distingué rencontra encore un autre homme, cette fois chez Clyde, un bar de Georgetown bruyant et encombré, fréquenté par la clientèle de la colline du Capitole. Ils se promenèrent également, s'arrêtant de temps à autre pour surveiller ce qu'il pouvait y avoir derrière eux, dans les reflets des vitrines des nombreuses boutiques. Le second homme avait aussi l'air distingué. Impressionnant serait un adjectif plus juste. Quelque chose dans son regard indiquait qu'il n'était finalement pas un banquier. Il écoutait l'autre parler.

— Je crains que nous n'ayons un léger problème.

— Vraiment ?

— Oui. Weatherby a intercepté ceci aujourd'hui.

Il tendit au second homme le mémoire de Heidegger. Le second homme n'eut besoin de le lire qu'une fois.

— Je vois ce que vous voulez dire.

— J'en étais sûr. Nous devons absolument nous en occuper tout de suite.

— Je vais le faire.

— Naturellement.

— Vous avez conscience que ceci, dit le second homme, en agitant le mémoire de Heidegger, risque d'entraîner d'autres complications dont il faudra nous occuper.

— Oui. C'est regrettable, mais inévitable. » Le second homme approuva de la tête et attendit que le premier poursuive. « Nous devons nous prémunir de façon absolue contre ces complications. » Le second homme approuva de nouveau et attendit. « Un autre élément entre en ligne de compte : la rapidité. Le facteur temps est absolument essentiel. Faites le nécessaire, en fonction de cet élément. »

Après un instant de réflexion, le second homme dit :

— Une rapidité maximum peut entraîner... une action désagréable et un certain gâchis.

Le premier homme lui tendit une serviette contenant les documents « disparus » et dit :

— Faites ce qu'il faudra.

Les deux hommes se séparèrent, après un bref salut. Le premier parcourut quatre pâtés de maisons, avant de tourner au coin d'une rue où il prit un taxi. Il était content que l'entrevue fût terminée. Le second le regarda partir, attendit quelques minutes en scrutant du regard les passants, puis entra dans un bar pour téléphoner.

Ce matin-là à 3 h 15, Heidegger déverrouilla sa porte à laquelle la police venait de frapper. Quand il l'ouvrit, il se trouva en face de deux hommes en civil qui lui souriaient. L'un était très grand et d'une maigreur accablante. L'autre était très distingué mais, à voir son regard, ce n'était pas un banquier.

Ces deux hommes refermèrent la porte derrière eux.

Ces activités obéissent à des règles et usent de procédés de dissimulation qui leur sont propres, et visent à tromper et à obscurcir.

Président Dwight D. Eisenhower, 1960.

Jeudi, il se remit à pleuvoir. Malcolm se réveilla enrhumé, la gorge sensible et enflammée, avec une légère impression de malaise. Non seulement il se sentait malade, mais il se réveillait en retard. Il balança plusieurs minutes, avant de se décider à aller travailler. A quoi bon sacrifier des jours de congé de maladie pour un rhume ? Il se coupa en se rasant, ne put faire tenir ses cheveux au-dessus de ses oreilles, eut du mal à mettre le verre de contact de son œil droit et s'aperçut de la disparition de son imperméable.

Courant le long des huit pâtés de maisons qui séparaient son domicile du lieu de son travail, il sentit naître en lui l'idée que son retard allait lui faire rater la Fille. En débouchant dans Southeast A, il leva les yeux vers le haut de la rue, juste à temps pour la voir disparaître dans la Bibliothèque du Congrès. Il la fixa avec une intensité telle qu'il omit de regarder à ses pieds et marcha au beau milieu d'une profonde flaque d'eau. Il en fut plus ennuyé que fâché, mais l'homme qu'il vit assis dans la conduite intérieure bleue rangée juste en-deçà de la Société ne parut pas remarquer sa maladresse.

Mme Russel salua Malcolm d'un bref « Il était temps ! ». En montant à son bureau, il fit gicler son café qui lui brûla la main. Il y a des jours où rien ne va.

Un peu après 10 heures, on frappa discrètement à sa porte et Tamatha entra. Elle le considéra pendant quelques secondes à travers les verres épais de ses lunettes, un timide sourire aux lèvres. Sa chevelure était si clairsemée qu'il semblait à Malcolm que l'on pouvait distinguer chaque cheveu de son voisin.

— Ron, murmura-t-elle, savez-vous si Rich est malade ?

— Non, rugit Malcolm, avant de se moucher bruyamment.

— Eh bien, pas besoin d'aboyer. Je suis inquiète pour lui. Il n'est pas là et il n'a pas téléphoné.

— C'est foutrement dégueulasse ! émit Malcom, sachant combien la grossièreté mettait Tamatha mal à l'aise.

— Quelle mouche vous pique, pour l'amour du ciel ? dit-elle.

— J'ai attrapé un rhume.

— Je vais aller vous chercher de l'aspirine.

— Pas la peine, fit-il d'un ton bourru. Ça ne servira à rien !

— Oh, vous êtes impossible ! Adieu !

Elle partit en refermant vivement la porte derrière elle. Doux Jésus ! pensa Malcolm, avant de se replonger dans Agatha Christie.

A 11 h 15, le téléphone sonna. Malcolm décrocha et entendit la voix glaciale du Dr Lappe.

— Malcolm, j'ai une course pour vous et c'est votre tour d'aller chercher le déjeuner. Je présume que personne ne voudra sortir. » Malcolm vit, par la fenêtre, la pluie battante et arriva à la même conclusion. Le Dr Lappe poursuivit. « En conséquence, vous pourriez faire d'une pierre deux coups et rapporter le déjeuner en revenant de votre course. Walter est déjà en train de prendre les commandes. Puisque vous avez un paquet à déposer au vieil immeuble du Sénat, je suggère que vous preniez les sandwichs chez Hap. Vous pouvez partir tout de suite. »

Cinq minutes plus tard, un Malcolm éternuant s'avançait péniblement dans le sous-sol en direction de la porte à charbon à l'arrière du bâtiment. Personne n'avait connaissance de cette porte à charbon, car elle ne figurait pas sur les plans d'origine de l'immeuble. Elle était demeurée cachée jusqu'au jour où Walter, déplaçant une commode en poursuivant un rat, avait découvert cette petite porte poussiéreuse qui ouvrait derrière le buisson de lilas. On ne pouvait l'apercevoir de l'extérieur, mais il y avait assez d'espace pour se glisser entre le buisson et le mur. La porte ne s'ouvrait que de l'intérieur.

Malcolm grommela tout le long du chemin. Quand il ne grommelait pas, il reniflait. La pluie ne cessait pas. Lorsqu'il atteignit le vieil immeuble de bureaux du Sénat, elle avait changé le beige clair de son blouson de daim en brun foncé. La blonde secrétaire du sénateur prit pitié de lui et lui offrit une tasse de café, le temps qu'il se sèche. Elle lui dit qu'« officiellement » il attendait l'accusé de réception du Sénateur pour son colis. Par pure coïncidence, elle mit le même temps à compter les livres que Malcolm à boire son café. La jeune fille lui sourit gentiment et Malcolm trouva que porter des romans policiers à un sénateur pouvait ne pas être totalement dénué d'intérêt.

En temps normal, il faut cinq minutes pour se rendre à pied du vieil immeuble du Sénat chez Hap, mais comme il pleuvait maintenant à torrent, Malcolm fit le trajet en trois minutes. Hap est un des lieux de prédilection des employés du Capitole pour la rapidité de son service, la saveur de sa cuisine et l'excellence de ses spécialités maison. L'endroit est un mélange entre le petit traiteur juif et le bar du Montana. Malcolm remit sa commande à emporter à la serveuse, se fit servir un sandwich à la viande hachée et un lait.

Au moment où Malcolm sirotait son café dans l'antichambre du sénateur, un gentleman en gabardine et au visage en grande partie dissimulé par son chapeau tournait le coin de la Première Rue et remontait Southeast A jusqu'à la conduite intérieure bleue. La coupe militaire de son imperméable convenait à son allure martiale, mais il n'y avait personne dans la rue pour le remarquer. Il inspecta en passant, mais en détail, la rue et les façades puis s'installa en souplesse sur le siège avant de la voiture. En refermant la portière d'une main ferme, il regarda le conducteur et dit : « Alors ? »

Sans quitter l'immeuble des yeux, le chauffeur répondit d'une voix d'asthmatique :

— Tous présents ou comptés pour, monsieur.

— Parfait. Je fais le guet, le temps que vous téléphoniez. Dites-leur d'attendre dix minutes avant de passer à l'attaque !

— Bien, monsieur.

Le conducteur commença à descendre de voiture, mais une voix sèche l'arrêta.

— Weatherby, dit l'homme en prenant un temps pour marquer son effet. Il n'y aura pas de bavures.

Weatherby avala sa salive.

— Non, monsieur.

Weatherby marcha jusqu'à la cabine téléphonique publique, placée près de l'épicerie, à l'angle de Southeast A et de la Sixième Rue.

Chez Henry, un bar situé à cinq pâtés de maisons de là sur l'avenue de Pensylvanie, un grand type d'une maigreur effroyable se leva quand le garçon appela « M. Wazburn ». Le dénommé Wazburn écouta les brèves instructions, hochant la tête, en guise d'assentiment. Il raccrocha et revint à sa table où deux amis l'attendaient. Ils réglèrent l'addition (trois cafés-fine) et remontèrent la Première Rue jusqu'à une ruelle située immédiatement derrière Southeast A. Au feu rouge, ils croisèrent un jeune homme aux cheveux longs et au blouson de daim trempé qui se hâtait dans la direction opposée. Une camionnette jaune était garée entre deux immeubles, au bord de la ruelle. Les trois hommes grimpèrent à l'arrière et s'apprêtèrent pour leur besogne de la matinée.

Malcolm venait de commander son sandwich de viande hachée, lorsqu'un facteur, sa sacoche sur le ventre, tourna le coin de la Première Rue pour descendre Southeast A. Un costaud à l'imperméable vague lui emboîta le pas d'une démarche raide. Cinq immeubles plus loin, dans la rue, un grand maigre marchait à la rencontre des deux autres. Il portait aussi un imperméable vague, mais le sien lui arrivait au genou.

Dès que Weatherby vit le facteur déboucher dans Southeast A, il démarra et partit. Ni les occupants de la voiture, ni les hommes à pied sur le trottoir n'échangèrent le moindre signe d'intérêt les uns pour les autres.

Weatherby soupira de soulagement, entre deux aspirations sifflantes. Il était aux anges d'en avoir terminé avec la mission qui lui était échue. Tout coriace qu'il fût, en regardant l'homme silencieux assis à côté de lui, il remerciait le ciel de n'avoir pas commis d'erreur.

Mais Weatherby se trompait. Il avait commis une faute légère et banale, une faute qu'il aurait pu facilement éviter. Une faute qu'il aurait dû éviter.

Un éventuel témoin aurait pu voir trois personnes, deux hommes d'affaires et un postier arriver, par coïncidence, simultanément à la grille de la Société. Poliment, les deux hommes d'affaires laissèrent le postier leur ouvrir le chemin jusqu'à la porte et appuyer sur le bouton. Ainsi qu'à l'accoutumée, Walter n'était pas à son poste (l'aurait-il été, que cela n'eût probablement rien changé). Et au moment précis où Malcolm finissait son sandwich chez Jimmy, Mme Russel entendit la sonnette et grinça un « Entrez ! ».

Facteur en tête, ils entrèrent.

Malcolm prenait son temps pour déjeuner, faisant passer son sandwich de viande hachée à l'aide de la spécialité de la maison : le gâteau de chocolat au rhum. Après sa seconde tasse de café, sa conscience l'obligea à affronter de nouveau la pluie. La pluie torrentielle s'était muée en crachin. Le déjeuner avait restauré Malcolm aussi bien moralement que physiquement. Il prit son temps, à la fois parce que la balade lui plaisait et parce qu'il ne voulait pas laisser tomber les trois sacs de sandwichs. Pour changer un peu, il descendit Southeast A par le trottoir d'en face. Sa décision fit qu'il vit mieux l'immeuble de la Société en approchant et, ainsi, il s'aperçut plus rapidement que quelque chose clochait.

C'est un petit rien qui lui mit la puce à l'oreille. Un détail minime tout à fait insolite et pourtant tellement insignifiant qu'il semblait ne rien vouloir dire. Mais Malcolm remarquait les petites choses, comme cette fenêtre ouverte au second étage. Les fenêtres à guillotine de la Société basculent plus facilement vers l'extérieur que leur partie basse ne coulisse, si bien que la fenêtre ouverte faisait saillie sur la façade. Quand Malcolm aperçut la fenêtre, il n'en comprit pas aussitôt la signification, mais, une rue plus loin, elle le frappa et il s'arrêta net.

Que des fenêtres soient ouvertes dans la capitale, même par temps de pluie, n'a rien d'extraordinaire. Il fait habituellement chaud à Washington, même lors d'averses de printemps. Mais comme les locaux de la Société sont équipés du conditionnement d'air, la seule raison d'ouvrir une fenêtre est de vouloir de l'air frais. Malcolm jugea absurde cette explication, absurde parce que la fenêtre demeurée ouverte était précisément celle de Tamatha.

Tamatha — au vu et au su de chacun dans la section — vivait dans la terreur des fenêtres ouvertes. Quand elle avait neuf ans, ses deux frères d'une dizaine d'années s'étaient battus pour une image qu'ils avaient trouvée tous les trois, en explorant le grenier. Le frère aîné avait glissé sur une carpette et, plongeant par la fenêtre du grenier, était tombé dans la rue, se brisant la nuque, et il demeurait paralysé pour le restant de ses jours. Tamatha avait un jour confié à Malcolm que seul un cas d'incendie, de viol ou de meurtre la ferait s'approcher d'une fenêtre ouverte. Pourtant la fenêtre de son bureau était grande ouverte.

Malcolm tenta de calmer son inquiétude. Ta fichue imagination te joue un de ses tours, pensa-t-il. Cette fenêtre est probablement ouverte pour une bonne et excellente raison. Quelqu'un lui fait peut-être une blague. Mais aucun de ses collègues ne pratiquait ce genre de plaisanterie et il savait que personne ne se serait permis de taquiner Tamatha de cette façon. Il descendit lentement la rue, dépassa l'immeuble, alla jusqu'au carrefour. Pour le reste, tout semblait normal. Il n'entendait aucun bruit dans le bâtiment, mais sans doute étaient-ils tous en train de lire.

C'est idiot, décida-t-il. Il traversa la rue, marcha rapidement vers la grille, monta les marches et, après un moment d'hésitation, appuya sur la sonnette. Rien. Il entendit la sonnerie retentir à l'intérieur, mais Mme Russel ne répondit pas. Il sonna de nouveau. Encore rien. Malcolm sentit des picotements le long de son épine dorsale et il eut froid dans le dos.

Walter trimbale des bouquins, pensa-t-il, et Polly-Pois-de-Senteur pousse sa crotte. Ça doit être ça. Lentement il extirpa sa clef du fond de sa poche. Quand on insère quelque chose dans le trou de la serrure, durant la journée, des sonneries se déclenchent et des lumières s'allument dans tout le bâtiment. La nuit, cela sonne aussi au quartier général de la police de Washington, au complexe de Langley et à un service spécial de sécurité, dans le bas de Washington. En faisant jouer la serrure, Malcolm entendit le doux bourdonnement des sonnettes. Il poussa la porte et pénétra rapidement à l'intérieur.

Du bas de l'escalier, Malcolm put seulement voir que la pièce semblait vide. Mme Russel n'était pas à son bureau. Du coin de l'œil, il remarqua que la porte du Dr Lappe était entrebâillée. Il régnait dans la pièce une odeur singulière. Malcolm posa les sacs de sandwichs sur le bureau de Walter et monta lentement l'escalier.

Il découvrit les origines de l'odeur. Comme d'habitude, Mme Russel s'était levée derrière son bureau à leur entrée. La rafale de la mitraillette, cachée dans la sacoche du postier, l'avait repoussée presque aussi loin que la cafetière. Sa cigarette était tombée sur son cou, lui roussissant la chair jusqu'à ce que les dernières miettes de tabac et de papier se fussent calcinées. Une étrange hébétude envahit Malcolm, les yeux écarquillés sur cette chair recroquevillée dans une mare de sang. Comme un automate, il pivota lentement et entra dans le bureau du Dr Lappe.

Walter et le Dr Lappe examinaient des factures, lorsqu'ils entendirent d'étranges toussotements et le bruit sourd du corps de Mme Russel s'affaissant sur le sol. Walter ouvrit la porte pour l'aider à ramasser le courrier qui avait dû tomber (il avait entendu la sonnette et Mme Russel dire : « Qu'est-ce que vous nous apportez aujourd'hui ? »). La dernière chose qu'il vit fut un grand maigre tenant un truc en forme de L. L'autopsie révéla que Walter avait pris une rafale à bout portant, cinq ronds dans l'estomac. Le Dr Lappe vit toute la scène mais il n'avait aucune possibilité de fuite. Son corps s'affaissa contre le mur du fond, au-dessous d'une diagonale d'impacts sanglants.

Deux des hommes se dirigèrent tranquillement vers les étages, laissant au facteur la garde de la porte d'entrée. Aucun autre membre du personnel n'avait entendu quoi que ce fût. Otto Skorzeny, le chef des commandos d'Hitler, fit un jour la démonstration de l'efficacité du silencieux de la mitraillette britannique Sten, en vidant un chargeur dans le dos d'une fournée de généraux en tournée. Les officiers allemands n'entendirent pas un bruit, mais refusèrent de copier l'arme britannique sous prétexte que le Troisième Reich produisait naturellement des dispositifs supérieurs. Nos trois hommes, eux, se satisfaisaient de la Sten. Le grand type ouvrit toute grande la porte de Malcolm et trouva un bureau vide. Ray Thomas ramassait un crayon à genoux derrière son bureau, quand le costaud entra. Ray eut le temps de crier « Oh, mon Dieu, non... » avant que son crâne éclate.

Tamatha et Harold Martin entendirent le hurlement de Ray mais sans en deviner la cause. Presque simultanément, ils ouvrirent leur porte et se précipitèrent au débouché de l'escalier. Pendant un instant, tout fut calme ; puis ils entendirent un doux frottement de pieds gravissant lentement les marches. Les pas s'arrêtèrent, puis un très faible clic-clac suivi d'une résonance métallique les secoua de leur torpeur. Ils n'avaient pas pu deviner l'origine exacte de ce bruit (l'arme approvisionnée d'un nouveau chargeur et réarmée) mais ils en comprirent instinctivement la signification. Tous deux coururent dans leur bureau, en claquant la porte derrière eux.

Harold fit preuve du maximum de présence d'esprit. Il ferma sa porte à clef et composait le troisième chiffre d'un numéro de téléphone quand le costaud enfonça la porte et le cueillit.

La réaction de Tamatha fut toute différente. Des années durant, elle s'était persuadée que seule une situation désespérée la forcerait à s'approcher d'une fenêtre ouverte. Maintenant elle savait qu'une telle situation était à sa porte. Elle ouvrit frénétiquement la fenêtre, cherchant à fuir, cherchant du secours, cherchant n'importe quoi. Prise de vertige sous l'effet du vide, elle retira ses lunettes et les posa sur son bureau. Elle entendit la porte d'Harold voler en éclats, un accès de toux, la chute et courut de nouveau à la fenêtre. Sa porte s'ouvrit lentement.

Pendant un long moment il ne se passa rien, puis Tamatha pivota lentement pour faire face au type maigre. Il n'avait pas tiré par crainte qu'une balle, à travers la fenêtre, n'allât toucher quelque chose à l'extérieur et attirer l'attention sur l'immeuble. Il ne prendrait ce risque que si elle criait. Elle ne le fit pas. Elle ne voyait qu'une grosse tache, mais elle savait que cette tache la faisait s'éloigner de la fenêtre. Elle revint lentement à son bureau. Si je dois mourir, pensa-t-elle, je veux voir. D'une main elle trouva ses lunettes et les porta à ses yeux. Le grand type attendit qu'elles fussent en place et que son visage exprimât sa compréhension de la situation. Puis il appuya sur la gâchette jusqu'à la dernière cartouche de son chargeur entier, les douilles percutées s'éjectant sur le côté de son arme. Les balles firent valser Tamatha, la firent rebondir entre le mur et le classeur, fracassant ses lunettes, décoiffant ses cheveux. Le type maigre regarda son corps criblé glisser lentement à terre, puis il tourna les talons pour rejoindre son compagnon râblé qui finissait d'inspecter le reste de l'étage. Ils redescendirent sans se presser.

Tandis que le facteur continuait de surveiller l'entrée, le costaud fouilla la cave. Il vit la porte à charbon mais n'en tira pas de conclusion. Il aurait dû, mais son erreur était la conséquence de celle commise par Weatherby. Il trouva la boîte d'arrivée du téléphone et la détruisit. Une ligne en dérangement cause moins d'alarme qu'un numéro qui ne répond pas. Le grand type fouilla le bureau d'Heidegger. Ce qu'il cherchait devait se trouver dans le troisième tiroir de gauche et y était effectivement. Il prit également une enveloppe de papier kraft. Il y jeta une poignée de douilles avec un petit bout de papier qu'il tira de la poche de son veston. Il cacheta l'enveloppe et écrivit dessus. Ses gants le gênaient pour écrire, mais il voulait de toute façon déguiser son écriture. Le griffonnage sur l'enveloppe en faisait un paquet personnellement destiné à « Lockenvar, Quartier général de Langley ». Le costaud ouvrit l'appareil photo de l'entrée et voila la pellicule. Le grand type jeta négligemment l'enveloppe sur le bureau de Mme Russel. Son compagnon et lui raccrochèrent leurs mitraillettes aux baudriers qu'ils portaient sous leur imperméable ; ils ouvrirent la porte et sortirent aussi discrètement qu'ils étaient entrés, à l'instant précis où Malcolm finissait sa part de gâteau.

Malcolm erra lentement de bureau en bureau et d'étage en étage. Son esprit se refusait à enregistrer ce que voyaient ses yeux. Quand il découvrit le corps mutilé de ce qui avait été Tamatha, il comprit soudain. Il resta de longues minutes, les yeux écarquillés, tremblant. La peur le saisit et il pensa : « Il faut que je file d'ici. » Il se mit à courir. Il déboula jusqu'au rez-de-chaussée, avant que son esprit ne reprît le dessus et le fît s'arrêter.

Manifestement, ils sont partis, pensa-t-il, ou je serais mort à présent. Qui pouvaient être ces « ils » ne l'effleura pas un instant. Il fut soudain conscient de sa vulnérabilité. Mon dieu, pensa-t-il, je n'ai pas d'arme, je ne pourrais même pas me défendre, s'ils revenaient. Malcolm considéra le cadavre de Walter et le gros calibre pendu à sa ceinture. L'arme était baignée de sang. Malcolm n'eut pas le courage d'y toucher. Il courut jusqu'au bureau de Walter. Walter gardait, fixée sous la tablette de son bureau, une arme très spéciale, un calibre 20 à canon scié. L'arme n'était qu'à un coup, mais Walter se vantait souvent de la façon dont elle lui avait sauvé la vie au barrage de Chosen. Malcolm l'attrapa par la crosse en forme de crosse de pistolet. Il la maintint braquée sur la porte fermée, tout en avançant lentement en crabe jusqu'au bureau de Mme Russel. Walter avait placé un revolver dans son tiroir, « au cas où ». Mme Russel, qui était veuve, l'appelait « son revolver à violeurs ». « Non pas pour les chasser, disait-elle, mais pour les encourager. » Malcolm glissa le revolver dans sa ceinture et décrocha le téléphone.

Muet. Il essaya toutes les lignes. Rien.

Il faut que je m'en aille, se dit-il, il faut que je trouve du secours. Il essaya de fourrer le fusil à canon scié sous son blouson. Même raccourcie, l'arme était trop longue, le canon dépassait de son col et lui râclait la gorge. A regret, il replaça l'arme sous le bureau de Walter, en pensant qu'il devait s'efforcer de tout laisser dans l'état où il l'avait trouvé. Ayant avalé sa salive, il descendit jusqu'à la porte et regarda par le judas. La rue était vide. La pluie avait cessé. Lentement, bien à l'abri du mur, il ouvrit la porte. Rien ne se produisit. Il sortit sur le perron. Silence. Il claqua la porte derrière lui, franchit rapidement la grille et descendit la rue, l'œil en éveil, à l'affût du moindre détail insolite. Rien.

Il alla directement à la cabine téléphonique du coin de la rue. Chacune des quatre divisions de la C.I.A. possède son numéro d'urgence ne figurant pas à l'annuaire, un numéro à n'utiliser qu'en cas de catastrophe majeure et seulement si tous les autres moyens de communication sont inutilisables. La sanction pour usage abusif de ce numéro peut aller jusqu'au renvoi sans indemnité. Ce numéro d'urgence est un des grands secrets communs à tous les employés de la C.I.A. du directeur au portier, et chacun s'en souvient.

La ligne d'urgence est toujours confiée à des agents hautement qualifiés. Ils doivent être perspicaces, même s'ils ont rarement à intervenir. Quand arrive un appel d'urgence, les décisions doivent être prises vite et à bon escient.

Stephen Mitchell était l'officier de jour au téléphone d'urgence de la D.I. quand l'appel de Malcolm arriva. Mitchell avait été un des meilleurs agents itinérants (par opposition aux résidents) de la C.I.A. Treize années durant, il avait louvoyé de point chaud en point chaud, surtout en Amérique du Sud. Puis, en 1967, à Buenos Aires, un agent double avait placé une charge de plastic sous le siège avant de la Simca de Mitchell. L'agent double avait mal goupillé son coup : l'explosion n'avait fait sauter que les jambes de Mitchell. Son erreur valut à l'agent double de Rio un nœud coulant bien serré. L'Agence, peu désireuse de perdre un bon élément, affecta Mitchell à la Section d'Urgence.

Mitchell répondit au téléphone dès la première sonnerie. En décrochant, il déclencha un magnétophone enregistrant automatiquement.

— 493-7282. A la C.I.A. tous les postes téléphoniques répondent par leur numéro.

— Ici...

Pendant une horrible seconde, Malcolm oublia son nom de code. Il savait qu'il devait décliner les numéros de son département et de sa section (pour se distinguer d'autres agents qui pouvaient avoir le même nom de code), mais il était incapable de se rappeler ce nom de code. Il lui était interdit de donner son nom réel. Puis il s'en souvint.

— Ici Condor, 9e section, Département 17. Nous avons été attaqués.

— Appelez-vous sur une ligne intérieure ?

— J'appelle d'une cabine publique à proximité de... la base. Nos lignes n'ont plus de tonalité.

Merde, se dit Mitchell. Il va falloir communiquer en deux temps. De sa main libre il pressa le bouton d'alerte. En cinq lieux différents, trois à Washington, deux à Langley, des hommes armés jusqu'aux dents se précipitèrent dans des voitures, mirent les moteurs en marche et attendirent les instructions.

— Les dégâts ?

— Maximum. Tous. Je suis le seul qui...

Mitchell le coupa.

— Bon. Les gens du quartier sont-ils au courant ?

— Je ne pense pas. L'opération s'est faite sans bruit.

— Etes-vous blessé ?

— Non.

— Etes-vous armé ?

— Oui.

— Y a-t-il des individus suspects dans les parages ?

Malcolm regarda autour de lui. Il se souvint à quel point la matinée lui avait paru sans histoires.

— Je ne crois pas, mais je ne peux pas l'affirmer.

— Ecoutez très attentivement. Eloignez-vous, d'un pas tranquille, mais tirez vos fesses de là et mettez-les en lieu sûr. Attendez une heure. Assurez-vous de n'être pas suivi et rappelez. A 13 h 45 précises. Vous avez compris ?

— Oui.

— O.K. Maintenant raccrochez, et souvenez-vous : ne perdez pas les pédales.

Mitchell avait coupé la communication, avant que Malcolm ait décollé le combiné de son oreille.

Quant Malcolm eut raccroché, il resta planté au coin de la rue quelques secondes, essayant d'échafauder un plan. Il savait devoir trouver un endroit sûr où il pourrait demeurer une heure sans se faire remarquer, un endroit proche. Lentement, très lentement, il fit demi-tour et remonta la rue. Un quart d'heure plus tard, il se mêlait au groupe des Joyeux Lurons de l'Iowa, qui visitaient le Palais national du Capitole.

Tandis que Malcolm parlait à Mitchell, une des plus complexes et des plus formidables machines gouvernementales du monde se mettait en branle. Les contrôleurs branchés sur l'appel de Malcolm dépêchèrent quatre voitures des postes de sécurité de Washington et une autre de Langley, comprenant une équipe médicale mobile, toutes sur la 9ᵉ section du Département 17. Les chefs d'équipe furent mis au courant et établirent leur liaison radio, tout en fonçant sur l'objectif. Les autorités compétentes de la police de Washington furent prévenues d'une éventuelle demande d'assistance par des « fonctionnaires fédéraux mandatés ». Au moment où Malcolm raccrochait, toutes les bases de la C.I.A. du district de Columbia étaient averties qu'une attaque venait d'avoir lieu. Elles mirent en application les directives spéciales de sécurité. Dans les trois minutes qui suivirent l'appel téléphonique, tous les directeurs adjoints étaient au courant et, dans les six minutes, Mitchell fit personnellement son rapport, par ligne spéciale, au directeur général qui était en conférence avec le vice-président. En moins de huit minutes, tous les autres organismes principaux de l'univers de l'espionnage américain recevaient la nouvelle qu'un danger pouvait se présenter.

Simultanément, Mitchell ordonna qu'on apporte à son bureau toutes les fiches concernant la Société. En état d'urgence, l'officier de jour du service dispose de pouvoirs impressionnants. Il dirige virtuellement la plus grande partie de l'Agence, jusqu'à sa relève par un directeur-adjoint en personne.

Quelques secondes seulement après qu'il eut demandé les fiches, les archives le rappelèrent.

— Monsieur, l'ordinateur répond que le premier jeu de microfilms des dossiers de la 9e section du Département 17 est porté manquant.

— Est *quoi* ?

— Porté manquant, monsieur.

— Eh bien, envoyez-moi le second jeu et, bon dieu de bois, envoyez-le sous escorte !

Mitchell raccrocha violemment, sans laisser à l'employé abasourdi le temps de répondre. Mitchell attrapa un autre téléphone et fut aussitôt en liaison.

— Gelez la base ! commanda-t-il.

Dans les secondes qui suivirent, toutes les issues du complexe furent bouclées. Quiconque aurait tenté de quitter les lieux ou d'y pénétrer aurait été abattu. Des lampes rouges s'allumèrent dans tous les bâtiments. Des équipes spéciales de sécurité commencèrent à faire évacuer les couloirs, enjoignant à toute personne n'appartenant pas au service prioritaire Urgence et Rouge de regagner son bureau. Un geste de mauvaise volonté ou même une simple hésitation à exécuter cet ordre se traduisait par un canon de revolver dans l'estomac et des menottes aux poignets.

La porte du bureau d'Urgence s'ouvrit juste après que Mitchell eut gelé la base. Un homme corpulent passa sans hésitation devant le gardien, sans même daigner lui rendre son salut réglementaire. Mitchell était toujours au téléphone et l'homme s'installa sur une chaise à côté du responsable en second.

— Que se passe-t-il, bon dieu ?

En temps normal, cet homme aurait obtenu une réponse immédiate mais, en cet instant précis, Mitchell était Dieu. Le second regarda son chef. Mitchell, quoique parlant au téléphone, entendit la question. Il fit un signe de tête à son second qui, du coup, gratifia le gros bonhomme d'un synopsis complet de ce qui s'était passé et de ce qui avait été fait. Quand le second eut terminé, Mitchell, qui n'était plus au téléphone, s'épongeait le front avec un mouchoir fripé.

Le gros type s'agita sur sa chaise.

— Mitchell, dit-il, si vous n'y voyez pas d'inconvénient, je crois que je vais rester ici pour vous donner un coup de main. Après tout, c'est moi qui dirige le Département 17.

— Merci, monsieur, répondit Mitchell, toute l'aide que vous pourrez nous apporter sera précieuse.

Le gros type grommela, se cala sur sa chaise et attendit.

Si vous vous étiez promené sur Southeast A, juste derrière la Bibliothèque du Congrès, à 13 h 09, par ce gris après-midi de jeudi, vous auriez été interloqué par le déchaînement d'une agitation soudaine. Une demi-douzaine d'hommes surgirent de nulle part et convergèrent sur une maison blanche à deux étages. Juste avant qu'ils n'en atteignent la porte, deux voitures, chacune sur un côté de la chaussée, s'arrêtèrent en double file presque en face du bâtiment. Sur le siège arrière de chaque voiture, un homme, les bras chargés, examinait attentivement la maison. Les six piétons franchirent la grille ensemble mais un seul d'entre eux monta l'escalier. Il trifouilla la serrure avec un gros trousseau de clefs. Quand le pêne joua, il fit un signe de tête aux autres. Après avoir poussé le vantail et marqué un instant d'hésitation, les six hommes se ruèrent à l'intérieur en claquant la porte derrière eux. Un homme descendit de chaque voiture. Ils se mirent lentement à faire les cent pas devant le bâtiment. Lorsque les deux voitures allèrent se ranger, les chauffeurs firent tous deux un signe de tête aux hommes en faction à chaque coin de la rue.

Trois minutes plus tard, la porte se rouvrit. Un homme sortit de la maison et marcha lentement vers la voiture garée le plus près. Il en décrocha le téléphone. En quelques secondes, il eut Mitchell au bout du fil.

— Ils ont été bel et bien bousillés. Sans ménagements.

L'homme qui parlait s'appelait Allan Newberry. Il avait vu des combats au Vietnam, à la Baie des Cochons, dans les montagnes de Turquie, dans des douzaines de coupe-gorges, de bâtiments obscurs et de sous-sols du monde entier ; pourtant,

Mitchell pouvait discerner de l'écœurement dans la contraction de la voix.

— Comment ? Mitchell commençait seulement à y croire.

— Probablement par une équipe de deux à cinq hommes. Pas de signe d'effraction. Ils ont dû se servir de mitraillettes à silencieux, sinon toute la ville aurait entendu. Six morts dans le bâtiment : quatre hommes, deux femmes. La plupart d'entre eux n'ont même pas dû se rendre compte de ce qui leur arrivait. Rien n'indique que la maison ait été fouillée, dispositif de sécurité photographique et pellicule détruits. Téléphones muets, coupés sans doute quelque part. Deux des cadavres devront être remis en état pour pouvoir être identifiés. Travail net, rapide et sans bavures. Ils savaient ce qu'ils avaient à faire jusque dans les moindres détails et ils savaient comment le faire.

Mitchell attendit d'être sûr que Newberry ait terminé.

— Bon. Ceci outrepasse mes compétences. Je vais attendre le feu vert de là-haut pour entreprendre toute action plus précise. En attendant, vous et vos hommes, ne bougez pas de là. Personne ne doit toucher à quoi que ce soit. Je veux cet endroit bouclé mais tel quel. Usez des moyens nécessaires, quels qu'ils soient.

Mitchell marqua une pause pour donner du poids à ce qu'il venait de dire, mais aussi pour former le vœu de n'être pas en train de commettre une erreur. Il venait d'accorder à l'équipe de Newberry une liberté complète, y compris celle de tuer de propos délibéré, sans l'excuse de la légitime défense. Par raison d'Etat, sans autre forme de procès. Assassiner par impulsion, s'ils pensaient que cette impulsion avait un sens. Les conséquences d'un ordre aussi exceptionnel pouvaient être très graves pour tous ceux qu'il concernait. Mitchell poursuivit :

— Je vous expédie pour plus de sécurité des renforts qui occuperont le quartier. Je vous envoie aussi une équipe du laboratoire de recherches criminelles, mais ils ne pourront effectuer que les opérations ne modifiant pas l'état des lieux. Ils apporteront leur système de communication. Compris ?

— Compris. Oh, nous avons découvert un petit détail.

— Oui ? fit Mitchell.

— Nos instructions radio ne mentionnaient qu'une porte. Nous en avons trouvé deux. En voyez-vous l'explication ?

— Pas la moindre, dit Mitchell. Mais rien n'est explicable dans toute cette affaire. Autre chose ?

— Une seule. La voix devint glaciale. Un de ces salopards a bousillé une jeune fille au second étage. Il ne l'a pas tuée : il l'a massacrée.

Newberry coupa la liaison.

— Et à présent ? demanda le gros type.

— On attend, dit Mitchell, se calant dans sa chaise roulante. « On reste assis et on attend que Condor nous rappelle. »

A 13 h 40, Malcolm trouva une cabine téléphonique au Capitole. Avec la monnaie que lui avait faite une pétulante jeune fille, il appela le numéro d'urgence. Celui-ci ne sonna même pas une fois entière.

— 493-7282. La voix au bout du fil était tendue.

— Ici Condor, 9e section, Département 17. J'appelle d'une cabine publique. Je ne pense pas avoir été suivi et je suis à peu près certain qu'on ne peut pas m'entendre.

— Vos informations ont été confirmées. Nous devons vous faire venir à Langley mais nous redoutons de vous laisser y aller par vos propres moyens. Connaissez-vous les trois chapiteaux du Cirque, dans le quartier de Georgetown ?

— Oui.

— Pouvez-vous y être dans une heure ?

— Oui.

— Bon. A présent, connaissez-vous, ne serait-ce que de vue, une personne en poste à Langley ?

Malcolm réfléchit un instant.

— J'y ai eu un instructeur dont le nom de code était Moineau IV.

— Ne quittez pas !

Grâce à l'usage prioritaire de l'ordinateur et à ses facilités, Mitchell vérifia l'existence de Moineau IV et s'assura de sa présence dans la maison. Deux minutes plus tard, il dit :

— Bon. Voilà ce qui va se passer. Dans une demi-heure, Moineau IV et quelqu'un d'autre se gareront dans un petit passage situé derrière les salles. Ils attendront juste une heure. Cela vous donne un battement d'une demi-heure dans chaque sens. Il y a trois issues à ce passage où vous pourrez vous engager à pied. Toutes trois vous permettront de voir s'il y a quelqu'un sur votre chemin, avant qu'on ne vous aperçoive. Quand vous serez certain que la voie est libre, pénétrez dans le passage. Si vous voyez quoi que ce soit ou quiconque de suspect, si Moineau IV et son compagnon ne sont pas là ou s'il y a quelqu'un avec eux, ne serait-ce qu'un fichu pigeon à leurs pieds, tirez-vous de là, trouvez un endroit sûr et rappelez. Faites de même si vous ne pouvez pas y aller. O.K. ?

— O Hahahaatchoum !

Mitchell sursauta et faillit tomber de son fauteuil.

— Qu'est-ce qui se passe, nom de dieu ? Vous n'avez rien ?

Malcolm essuya le combiné.

— Non, monsieur. Tout va bien. Excusez-moi, je suis enrhumé. J'ai compris ce que je dois faire.

— A la grâce de Dieu !

Mitchell raccrocha. Il se laissa aller en arrière dans son fauteuil roulant. Sans lui laisser le temps d'ouvrir la bouche, l'homme corpulent lui dit :

— Ecoutez, Mitchell, si vous n'y voyez pas d'inconvénient, j'accompagnerai Moineau IV. Je suis responsable de ce Département et, tout croulant que je sois, il n'y a pas ici de jeune dur capable de débrouiller mieux que moi une situation qui peut s'avérer pleine d'embûches.

Mitchell considéra le gros type sûr de lui et sourit.

— D'accord. Embarquez Moineau IV à l'entrée. Prenez votre voiture. Avez-vous déjà rencontré Condor ?

Le gros type secoua la tête.

— Non, mais je crois l'avoir aperçu. Pouvez-vous me dénicher une photo ?

Mitchell hocha la tête et dit : « Moineau IV en a une. L'armurerie vous fournira tout ce que vous désirez, quoique je suggère un pistolet. Avez-vous une préférence ? »

Le gros type se dirigeait vers la porte.

— Oui, fit-il en se retournant. Un 38 spécial avec silencieux, au cas où il nous faudrait agir discrètement.

— Il vous attendra dans votre voiture, avec accessoires et munitions. Oh, dit Mitchell, arrêtant le gros type qui passait la porte, merci encore, colonel Weatherby.

Le gros type se retourna et sourit.

— De rien, Mitchell. Après tout, c'est mon boulot.

Il referma la porte derrière lui et marcha en direction de sa voiture. Au bout de quelques pas, il se mit à siffloter très doucement.

Une faute dans l'exécution d'une combinaison gagnante a fait perdre plus d'une partie, à deux doigts de la victoire. Dans ces cas-là, un joueur voit la combinaison gagnante, opère le sacrifice obligatoire et puis inverse l'ordre de ses mouvements ou rate le point réellement concluant de sa combinaison.

Fred Reinfeld, *Le Traité des Echecs.*

Malcolm eut quelque difficulté à trouver un taxi, à cause du temps. Vingt minutes plus tard, il réglait sa course à deux coins de rue des chapiteaux du Cirque. Il savait qu'il était de la plus haute importance de ne pas se faire voir. Quelques minutes après, il était assis à une table dans le coin le plus obscur d'un bar très fréquenté par une clientèle masculine. Le bar choisi par Malcolm est le rendez-vous des homosexuels de Washington. Depuis l'heure de l'apéritif, à onze heures du matin, jusque bien après minuit, des hommes de tous les âges, appartenant généralement à la classe moyenne et parfois à la classe supérieure, emplissent le bar pour y trouver une certaine détente au milieu de leurs semblables. C'est un bar gai. La musique de rock y retentit, les éclats de rire s'entendent de la rue. La légèreté y est forcée, pleine de sous-entendus, mais elle est là.

Malcolm espérait passer inaperçu : un homme dans un bar où il n'y a que des hommes. Il dégustait sa tequila Collins, aussi lentement que possible, guettant sur les visages d'alentour des signes de reconnaissance. Il y avait, dans l'assistance, des visages qui l'observaient aussi.

Personne ne remarqua que seule la main gauche de Malcolm était posée sur la table. Sous la table, sa main droite tenait une arme à feu braquée sur quiconque l'approchait.

A 14 h 40, Malcolm quitta sa table d'un bond pour se mêler à un groupe important qui quittait le bar. Une fois dehors, il s'éloigna rapidement de ces gens. Pendant quelques minutes, il traversa et retraversa les rues étroites de Georgetown, observant avec soin les personnes qui se trouvaient aux alentours. A trois heures, certain de n'être pas filé, il prit la direction des chapiteaux du Cirque.

Moineau IV était un instructeur gouvernemental tremblant et binoclard. On ne lui avait laissé aucun choix sur son rôle dans l'aventure. Il déclara que ce n'était pas pour cela qu'il avait été engagé, protesta avec la plus grande véhémence et exprima son anxiété pour sa femme et ses quatre gosses. Afin de le calmer, le service de l'armurerie le revêtit d'un gilet pare-balles. Il portait cette cuirasse chaude et lourde sous sa chemise. La toile contrariait l'envie qu'il avait de se gratter. Il ne se souvenait absolument pas de quelqu'un qui répondît au nom de Malcolm ou de Condor ; des douzaines de classes de jeunes agents avaient suivi ses cours. Les gars de l'armurerie n'en avaient cure, mais l'écoutaient néanmoins.

Weatherby donna des instructions aux chauffeurs des voitures blindées, tandis qu'ils se dirigeaient vers le parking. Il vérifia l'arme à canon court, avec son silencieux en forme de saucisse et manifesta d'un signe de tête son approbation au type basané de l'armurerie. En temps ordinaire, Weatherby aurait dû signer pour l'arme qui lui était confiée mais l'autorité de Mitchell permettait d'enfreindre les règlements. L'armurier aida Weatherby à fixer un étui d'épaule spécial, lui remit vingt-cinq chargeurs supplémentaires et lui souhaita bonne chance. Weatherby répondit par un grognement, en montant dans sa conduite intérieure bleu clair.

Trois voitures quittèrent Langley en formation serrée, la voiture bleue de Weatherby au milieu. A la sortie de l'embranchement de Beltway par lequel on entre dans Washington, la voiture arrière « creva » un pneu. Le chauffeur « perdit le contrôle » de son véhicule et la voiture vint s'arrêter en travers des deux voies. Il n'y eut pas de blessé, mais l'accident bloqua la circulation pendant dix minutes. Weatherby suivit de près l'autre voiture blindée qui tourna et se fraya un chemin à travers les embouteillages de Washington. Dans une rue tranquille et résidentielle du sud-ouest de la ville, la voiture de police fit un demi-tour complet et repartit dans la direction opposée. En passant près de la conduite intérieure bleue, le chauffeur fit signe à Weatherby que tout allait bien et s'éloigna à vive allure. Weatherby prit la direction de Georgetown, un œil fixé sur son rétroviseur tout le long du chemin, pour le cas où il aurait été filé.

Weatherby mesurait l'erreur qu'il avait commise. Quand il avait dépêché l'équipe de tueurs, c'était avec l'ordre de liquider tous les occupants de la maison. Il avait dit « tout le monde » mais n'avait pas spécifié combien ils étaient. Ses hommes avaient suivi ses instructions, mais elles n'étaient pas suffisamment explicites pour leur indiquer qu'il y en avait un qui manquait. Pourquoi celui-là était-il absent, Weatherby l'ignorait et s'en souciait peu. S'il avait su que ce Condor manquait à l'appel, il aurait pu résoudre cette difficulté. Il avait commis l'erreur, maintenant il devait la réparer.

Il était bien possible que Condor fût inoffensif, qu'il ne se rappelât pas sa conversation avec Heidegger, mais Weatherby ne pouvait courir ce risque. Heidegger avait questionné tout le personnel, à l'exception du Dr Lappe. On ne pouvait permettre à ces questions de subsister. A présent, un homme à qui ces questions avaient été posées devait mourir comme les autres, même si ce qu'il avait appris lui échappait complètement.

Le plan de Weatherby était simple mais extrêmement dangereux. Dès que Condor se montrerait, il l'abattrait. Légitime défense. Weatherby jeta un coup d'œil à Moineau IV tremblant. Un à-côté inévitable. Le gros homme n'avait aucun scrupule, quant à la mort imminente de l'instructeur. Ce plan était plein de risques. Condor pouvait être meilleur tireur que prévu, la scène pouvait avoir des témoins qui déposeraient ensuite, l'Agence pouvait ne pas croire sa version des événements et lui faire subir une forme d'interrogatoire à l'efficacité garantie. Condor pouvait agir autrement. Cent choses pouvaient rater. Mais quel que fût le risque, il n'était en rien comparable à la certitude qui l'attendait s'il échouait. Cela, Weatherby le savait. Il pouvait échapper à l'Agence et aux autres services du réseau d'espionnage américain. Les moyens étaient nombreux, des moyens déjà utilisés avec succès auparavant. A ce jeu, Weatherby était de force. Mais il savait qu'il n'échapperait jamais à l'homme au visage caractéristique, aux yeux étranges. Cet homme ne ratait jamais son coup quand il agissait directement. Jamais. Il agirait sans intermédiaire contre Weatherby, ce dangereux maladroit, Weatherby-la-menace. Ceci, Weatherby le savait et sa respiration n'en était que plus pénible. Une telle certitude rendait absurde toute idée d'évasion ou de dénonciation. Weatherby devait réparer son erreur. Condor devait mourir.

Weatherby roula lentement dans le passage, tourna et revint, et rangea sa voiture à côté de quelques boîtes à ordures, derrière les chapiteaux. L'allée était déserte, comme Mitchell l'avait prédit. Weatherby se demanda si quelqu'un allait y pénétrer pendant qu'ils s'y trouvaient. Les habitants de Washington ont tendance à éviter les passages. Il savait que Mitchell s'arrangerait pour qu'il n'y ait pas de police dans le secteur, afin de ne pas effrayer Condor par la vue des uniformes. Cela faisait l'affaire de Weatherby. Il fit signe à Moineau IV de sortir. Ils s'appuyèrent contre la voiture, bien en évidence et visiblement seuls. Puis, comme tout bon chasseur dressant une embuscade, Weatherby chassa toute pensée de son esprit pour se concentrer.

Malcolm les vit plantés là, ne sachant pas encore qu'il était dans l'allée. Il les observa très attentivement, à une distance d'environ soixante pas. Il lutta tant qu'il put contre une envie d'éternuer et réussit à ne faire aucun bruit. Lorsqu'il se fut assuré qu'ils étaient seuls, il sortit de derrière le pilier du téléphone et se mit à marcher dans leur direction. Son soulagement grandissait à chaque pas.

Weatherby repéra Malcolm aussitôt. Il s'écarta de la voiture, prêt à tirer. Il voulait être tout à fait sûr de son coup et soixante pas, c'est une performance pour un pistolet muni d'un silencieux. Il désirait également être hors de portée de Moineau IV. Les avoir l'un après l'autre, pensa-t-il.

L'impression de le reconnaître s'empara de Malcolm à vingt-cinq pas de la voiture, cinq pas avant l'instant où Weatherby comptait agir. L'image d'un homme dans une conduite intérieure bleue, garée juste avant la Société, dans la pluie du matin, traversa son esprit comme un éclair. L'homme qu'il avait vu dans cette voiture était le même qu'un des deux hommes qui se trouvaient maintenant devant lui. Quelque chose clochait, quelque chose allait tout à fait de travers. Malcolm s'arrêta et se mit à reculer lentement. Presque inconsciemment, il tira le revolver de sa ceinture.

Weatherby devina lui aussi que quelque chose tournait mal. Sa proie, de façon tout à fait inattendue, venait de s'arrêter net devant le piège et fuyait en préparant probablement une défense agressive. Le comportement imprévu de Malcolm contraignit Weatherby à abandonner son plan primitif et à réagir en fonction d'une situation nouvelle. Tout en tirant rapidement son arme, Weatherby eut une brève vision de Moineau IV, paralysé de frayeur et d'ahurissement. Le timide instructeur ne voyait encore aucune menace.

Weatherby était très entraîné à de nombreuses situations exigeant une action immédiate. Le canon du pistolet de Malcolm avait à peine quitté sa ceinture lorsque Weatherby tira.

Un pistolet, aussi efficace qu'il soit, est une arme dont l'utilisation sur le terrain peut présenter des difficultés, même pour un tireur expérimenté. Cette difficulté se voit augmentée par l'adjonction du silencieux, car, si le silencieux permet au tireur d'agir en toute tranquillité, il diminue la précision. Le silencieux à l'extrémité du canon constitue un poids inhabituel qui oblige l'utilisateur à compenser en visant. En termes de balistique, un silencieux diminue la vitesse du projectile. Le silencieux peut dévier la trajectoire de la balle. Un pistolet équipé d'un silencieux est encombrant, difficile à sortir et à utiliser rapidement.

Tous ces facteurs jouèrent contre Weatherby. S'il ne s'était pas servi d'un silencieux — même alors que la retraite de sa proie le forçait à prendre le temps de réviser ses plans —, il n'y aurait pas eu de combat. Mais le renflement au bout du pistolet ralentit son tir. En voulant regagner de la vitesse, il perdit de la précision. En tueur entraîné, il essaya le coup difficile mais décisif à la tête ; toutefois il compensa trop. Quelques millisecondes après le léger *plop !*, un morceau de plomb coupa les cheveux qui pendaient au-dessus de l'oreille gauche de Malcolm et, avec un gémissement, alla sombrer dans le Potomac.

Malcolm n'avait tiré au pistolet qu'une fois dans sa vie, avec un calibre 22 prêté par un ami. Les cinq coups avaient raté le tuyau qui dévalait la pente. Il tira de sa ceinture l'arme de Mme Russel et un bruit assourdissant se répercuta tout au long de l'allée, avant même qu'il se soit rendu compte qu'il avait pressé la détente.

Lorsqu'un homme est atteint par un 357 Magnum, il ne récolte pas un joli petit trou rouge et ne glisse pas lentement au sol. Il est éjecté brutalement. A vingt-cinq pas, l'effet est analogue au choc produit par un camion. La balle de Malcolm traversa violemment la cuisse gauche de Weatherby. La force de l'impact fit jaillir dans l'allée un bon morceau de la jambe de Weatherby ; elle le projeta en l'air et le fit retomber au sol, la tête en avant, au milieu du chemin.

Moineau IV regardait Malcolm, d'un air incrédule. Lentement, celui-ci se tourna vers le petit instructeur, dirigeant son arme sur le ventre pantelant de l'homme.

« Il était avec eux ! » Malcolm haletait, bien qu'il n'eût fait aucun effort. « Il était avec eux ! »

Malcolm recula lentement, s'éloignant de l'instructeur muet. Arrivé au coin de l'allée, il fit demi-tour et se mit à courir.

Weatherby grogna, s'efforçant de surmonter le choc de la blessure. La douleur ne se faisait pas encore sentir. C'était un homme très endurci, mais il dut réunir toutes ses forces pour lever le bras. De toute façon, il n'avait pas lâché son arme. Miraculeusement, sa tête restait lucide. Très attentivement, il visa et tira. Un autre *plop !* et une balle alla claquer contre le mur du cirque, non sans avoir auparavant traversé la gorge de Moineau IV, instructeur du gouvernement, marié et père de quatre enfants. En voyant le corps se ratatiner contre la voiture, Weatherby éprouva un soulagement étrange. Lui n'était pas mort encore. Condor avait redisparu et il n'y aurait pas de balles pour permettre à la Balistique de déterminer qui avait tiré sur qui. Un espoir subsistait. Il perdit connaissance.

Une voiture de police trouva les deux hommes. Il se passa beaucoup de temps avant qu'ils répondent à l'appel d'un boutiquier affolé, parce que toutes les unités de Georgetown avaient été envoyées vérifier le rapport d'un indicateur. Il s'avéra que cette dénonciation émanait d'un cinglé.

Malcolm courut le long de quatre pâtés de maisons, avant de se rendre compte à quel point il risquait de se faire remarquer. Il ralentit l'allure, tourna à plusieurs coins de rues, puis héla un taxi qui roulait vers le centre.

Doux Jésus, songeait Malcolm, c'en était un. C'en était un ! L'Agence devait l'ignorer. Il lui fallait téléphoner. Il fallait appeler... La peur le saisit. A supposer — simple supposition — que l'homme de l'allée ne soit pas le seul agent double. A supposer qu'il ait été envoyé par un homme sachant qui il était. A supposer que l'homme, à l'autre bout de la ligne d'Urgence, soit, lui aussi, un agent double.

Malcolm abandonna ses suppositions pour se consacrer au problème immédiat de sa survie. Il ne pouvait se permettre de téléphoner tant qu'il n'aurait pas tiré les choses au clair. Ils allaient le rechercher. Ils le recherchaient sans doute déjà avant les coups de feu, lui, l'unique survivant de la section, ils... Mais non ! Un éclair lui traversa l'esprit. Il n'était pas le seul survivant de la section. Heidegger ! Heidegger était souffrant, chez lui, alité, malade. Malcolm se tritura la cervelle. L'adresse, où Heidegger avait-il dit qu'il habitait ? Malcolm avait entendu Heidegger dire au Dr Lappe qu'il demeurait à... Mount Royal Arms !

Malcolm expliqua son embarras au chauffeur de son taxi. Il allait chez une fille qui lui avait donné un vague rendez-vous mais il avait oublié l'adresse. Il ne se souvenait que d'une chose, c'est qu'elle habitait Mount Royal Arms. Le chauffeur, grand protecteur des amours nouvelles, appela par radio son employeur qui lui précisa l'adresse, dans le secteur nord-ouest. Lorsque le chauffeur le déposa devant un immeuble vétuste, Malcolm lui laissa un dollar de pourboire.

Le nom de Heidegger était étiqueté à côté du numéro 413. Malcolm sonna. Aucun bourdonnement ne vint en retour, et aucune question non plus par l'interphone. Tandis qu'il renouvelait son appel, un soupçon troublant mais logique prit corps dans son esprit. Il finit par appuyer sur trois autres boutons. Pas de réponse. Il appuya alors sur toute une rangée à la fois. Lorsque l'interphone encombré émit un piaillement, il cria : « Colis exprès ». Le ronfleur de la porte se fit entendre et il entra en courant.

Personne ne répondit aux coups qu'il frappa à la porte de l'appartement 413. Il se mit à genoux et regarda la serrure. Sauf erreur, il ne s'agissait que d'une simple serrure à ressort. Il avait lu dans une douzaine de livres et vu dans un nombre incalculable de films le héros ouvrir en quelques secondes une porte fermée par une serrure à ressorts au moyen d'un petit morceau de plastique rigide. Après avoir fouillé frénétiquement ses poches pendant quelques instants, il ouvrit son portefeuille et y prit sa carte d'identité de la C.I.A. Cette carte certifiait qu'il était employé aux Industries Tentrex Inc. Les renseignements signalétiques correspondaient à son apparence et à son identité. Ses deux photos, l'une de profil, l'autre de face, avaient toujours plu à Malcolm.

Vingt minutes durant, Malcolm éternua, grogna, poussa, tira, secoua, supplia, menaça, ébranla et taillada la serrure avec sa carte. En fin de compte, le plastique s'arracha et la carte d'identité sauta à travers la fente dans la pièce fermée.

Son dépit se mua en colère. Malcolm soulagea ses genoux endoloris en se relevant. Si personne n'est venu me déranger jusqu'à présent, pensa-t-il, un peu plus de bruit ne fera pas grande différence. Poussé par la rage, la peur, et le désappointement de cette journée, Malcolm lança son pied contre la porte. Les serrures et l'huisserie de Mount Royal Arms ne sont pas de la meilleure qualité. Les propriétaires souhaitant pratiquer des loyers peu élevés, le choix des matériaux de construction s'en ressent. La porte du 413 s'ouvrit violemment vers l'intérieur, heurta le butoir et fut rattrapée au retour par Malcolm. Il la referma avec beaucoup plus de douceur qu'il ne l'avait ouverte. Il récupéra sa carte d'identité parmi les éclats de bois et traversa la pièce en direction du lit et de ce qui s'y trouvait étendu.

La hâte étant peu compatible avec les formes, ils n'y avaient pas été par quatre chemins avec Heidegger. Si Malcolm avait soulevé le haut du pyjama, il aurait vu la marque que laisse un coup bas, quand la tendance naturelle de la victime à bleuir est stoppée par la mort. Le visage du cadavre était bleu noir, état résultant entre autres choses de la strangulation. La pièce empestait de la décharge involontaire du corps.

Malcolm regardait le cadavre qui commençait à se boursoufler. Il n'avait que de vagues notions de médecine organique, mais il savait qu'un tel état de décomposition ne s'atteint pas en quelques heures. Par conséquent Heidegger avait été tué avant les autres. « Ils » n'étaient pas venus ici après avoir découvert son absence du bureau, mais avant d'abattre les autres employés. Malcolm n'arrivait pas à comprendre.

La manche droite du pyjama de Heidegger était sur le parquet. Malcolm ne pouvait imaginer que ce genre de déchirure pût résulter d'une bagarre. Il rabattit drap et couverture pour examiner le bras de Heidegger. Sous l'avant-bras, il trouva une petite meurtrissure, comme une piqûre de punaise. Ou plutôt, songea Malcolm, se rappelant ses séjours au service de secourisme des étudiants, de l'intrusion par des mains inexpertes d'une aiguille hypodermique. Ils lui avaient injecté Dieu sait quoi, probablement pour le faire parler. A quel sujet ? Malcolm n'en avait pas la moindre idée. Il se mit à explorer la pièce lorsqu'il pensa aux empreintes. Prenant son mouchoir dans sa poche il s'en servit pour frotter tout ce qu'il se rappelait avoir touché, même la porte à l'extérieur. Il trouva une paire de gants de handball poussiéreuse sur la commode encombrée. Trop petits, mais ses doigts y entraient.

Après les tiroirs du bureau, il examina le placard. En fouillant, il trouva sur la planche du haut une enveloppe bourrée d'argent, cinquante et un billets de cent dollars. Il ne prit pas le temps de les compter, mais il estima au jugé qu'il y avait là au moins dix mille dollars.

Il s'assit sur le fauteuil couvert de vêtements. C'était incroyable. Un ancien alcoolique, un maniaque qui dissertait sur le mérite des caisses de mutualité, un homme qui avait peur des cambrioleurs, avec une telle somme d'argent liquide dans son placard. Incompréhensible ! Il regarda le cadavre. De toute façon, pensa-t-il, Heidegger n'en avait plus besoin.

Malcolm enfouit l'enveloppe dans son caleçon. Après un dernier coup d'œil rapide autour de lui, il ouvrit la porte avec précaution, descendit l'escalier et prit au coin de la rue un autobus qui menait en ville.

Malcolm savait que sa première préoccupation allait être d'échapper à ses poursuivants. A présent, ils devaient être au moins deux à sa poursuite : l'Agence et le groupe qui avait attaqué la Société. Tous connaissaient son signalement, la première chose à faire était donc de changer d'aspect.

L'enseigne du coiffeur annonçait « Pas d'attente » et, pour une fois, la publicité ne mentait pas. Malcolm retira sa veste, le visage tourné vers le mur. Il glissa le pistolet dedans avant de s'asseoir. Il garda les yeux fixés sur son veston pendant toute la durée de l'opération.

— Que désirez-vous, jeune homme ? Le coiffeur grisonnant agitait gaiement ses ciseaux.

Malcolm n'éprouva aucun regret. Il savait à quel point une coupe de cheveux pouvait le transformer.

— Je les veux courts, un tout petit peu plus longs que la coupe militaire, juste assez pour que je puisse les coiffer.

— Dites donc, ça va faire un changement radical. Le coiffeur brancha sa tondeuse électrique.

— Ouais.

— Dites, jeune homme, vous intéressez-vous au base-ball... ? C'est ma passion. J'ai lu un article dans le *Post* aujourd'hui sur les Orioles, l'entraînement de printemps et la façon dont ce type s'y prend...

La coupe achevée, Malcolm se regarda dans la glace. Il n'avait pas vu cette tête-là depuis cinq ans.

L'étape suivante le mena aux Surplus Sunny. Malcolm savait qu'un bon déguisement débute par l'attitude juste, mais il savait aussi que de bons accessoires sont indispensables. Il fouilla dans tout le stock jusqu'à ce qu'il eût découvert une vareuse usagée, portant encore ses insignes et qui lui allait assez bien. Sur l'applique de la poche gauche, un nom : « Evans ». Il y avait sur l'épaule gauche un aigle tricolore, avec le mot « Airborne » en lettres d'or sur fond noir. Malcolm apprit ainsi qu'il venait de passer ancien combattant de la 101e division aéroportée. Il acheta et enfila un blue-jean et, pour un prix exorbitant, une paire de bottes de saut usées (« $15 garanties de retour de la campagne du Vietnam »). Il acheta également des sous-vêtements, un pull-over bon marché, des gants noirs pour conduire, des chaussettes, un rasoir mécanique et une brosse à dents. Quand il sortit du magasin, son colis sous le bras, on eût dit qu'il avait avalé un piquet. Il avançait d'un pas ferme et égal, plein de vigueur, regardant d'un air conquérant toutes les filles qu'il croisait. Après avoir parcouru de la sorte la longueur de cinq pâtés de maisons, il eut besoin de repos et il pénétra dans un des innombrables snack-bars de Washington.

— Je peux avoir une tasse de café ?

La serveuse ne tiqua pas sur l'accent du Sud nouvellement acquis par Malcolm. Elle lui apporta son café. Malcolm essaya de se détendre et de réfléchir.

Deux jeunes filles occupaient le box derrière Malcolm. Une habitude de toujours le fit prêter l'oreille à leur conversation.

— Alors tu ne vas nulle part, pour passer tes vacances ?

— Non, je reste chez moi. Pendant quinze jours, je veux me retirer du monde.

— Tu vas devenir dingue !

— Peut-être, mais n'essaie pas de m'appeler pour connaître l'évolution de la maladie, il y a des chances pour que je ne réponde même pas au téléphone.

L'autre fille se mit à rire.

— Et si c'est l'appel d'un bonhomme qui cherche la femme de sa vie ?

La réponse fut catégorique.

— Eh bien, il attendra quinze jours. J'ai besoin de repos.

— Enfin, c'est ton affaire. Tu es sûre de ne pas vouloir venir dîner, ce soir ?

— Non, vraiment, merci, Anne. Je vais finir mon café, rouler tranquillement jusque chez moi et, à partir de cette minute, je vais vivre deux semaines sans avoir à me dépêcher.

— Eh bien, Wendy, amuse-toi bien !

Des cuisses crissèrent sur le plastique. La dénommée Anne gagna la porte, en passant à côté de Malcolm. Il aperçut une paire de jambes éblouissantes, une chevelure blonde et un profil fermement dessiné qui se perdaient dans la foule. Il demeura assis sans bouger, reniflant de temps en temps, sur des charbons ardents car il venait de trouver la réponse à son problème d'asile.

La dénommée Wendy prit encore cinq bonnes minutes pour terminer son café. En partant, elle ne jeta même pas un regard à l'homme qui était assis derière elle. Elle n'en aurait d'ailleurs pas vu grand-chose, car son visage était dissimulé derrière un menu. Sitôt qu'elle eut payé, Malcolm la suivit et se dirigea vers la sortie. Il jeta la monnaie sur le comptoir en passant.

Tout ce qu'il pouvait dire en la voyant de dos, c'est qu'elle était petite, mince, mais pas désespérément maigre comme Tamatha ; elle avait des cheveux noirs courts et des jambes pas mal. Bon dieu, pensa-t-il, pourquoi est-ce que ce n'est pas la blonde ? La chance de Malcolm tenait, car la voiture de la fille était tout au fond d'un parking encombré. Il la suivit d'un air détaché, passa devant le gros gardien qui surveillait d'un œil sous son feutre cabossé. Au moment où la fille ouvrait la portière d'une vieille Corvair Malcolm s'écria :

— Wendy ! Bon dieu, que faites-vous donc là ?

Surprise mais nullement alarmée, la jeune fille leva les yeux vers le personnage souriant, dans une veste de l'armée, qui s'avançait vers elle.

— C'est à moi que vous parlez ?

Elle avait des yeux marron, plutôt rapprochés, une grande bouche, un petit nez et des pommettes hautes. Un visage tout ce qu'il y a de plus ordinaire. Peu ou pas de maquillage.

— Bien sûr ! Vous ne vous souvenez donc pas de moi, Wendy ?

Il n'était plus qu'à trois pas d'elle.

— Je... Je ne vois pas.

Elle remarqua que d'une main il tenait un paquet et que son autre main était sous sa veste.

Malcolm se tenait près d'elle à présent. Il posa son paquet sur le toit de la voiture et ramena sa main gauche derrière la tête de la jeune fille tout naturellement. Il lui saisit fermement la nuque, lui faisant courber la tête pour lui montrer l'arme à feu qu'il tenait de l'autre main.

— Ne criez pas, ne vous agitez pas ou je vous mets en bouillie. Compris ?

Malcolm la sentit frissonner, mais elle fit aussitôt un signe d'assentiment. « Maintenant, montez dans la voiture et débloquez l'autre portière. Ce truc tire à travers les vitres et je n'aurai pas une seconde d'hésitation. »

La fille monta rapidement à la place du conducteur, se pencha et libéra le verrou de l'autre portière. Malcolm referma du côté de la fille, prit son colis, fit lentement le tour de la voiture et y monta.

— Je vous en prie, ne me faites pas de mal. » Sa voix était beaucoup plus douce qu'au restaurant.

— Regardez-moi, fit Malcolm, qui s'éclaircit la voix. Je ne vous ferai aucun mal si vous faites exactement ce que je vous demande. Je n'en veux pas à votre argent, je n'ai pas l'intention de vous violenter. Mais suivez à la lettre ce que je vous dirai de faire. Où habitez-vous ?

— A Alexandrie.

— Nous allons chez vous. Vous conduisez. Si vous avez des velléités d'appeler au secours, renoncez-y. A la première tentative, je tire. On me blessera peut-être, mais vous, vous serez morte. Ça n'en vaut pas la peine. O.K. ? » La fille acquiesça. « Allons-y ! »

Le trajet jusqu'à Virginia fut tendu. Malcolm ne quitta pas la fille des yeux. Elle gardait le regard fixé sur la route. Tout de suite après la sortie d'Alexandrie, elle pénétra dans une petite cour entourée de pavillons.

— Lequel est le vôtre ?

— Le premier. J'ai les deux étages du haut. Il y a un locataire au sous-sol.

— Comportez-vous bien ! Maintenant, nous allons marcher, vous serez censée amener un ami chez vous. N'oubliez pas que je suis juste derrière vous.

Ils sortirent et montèrent les quelques marches qui conduisaient au pavillon. La fille tremblait et eut du mal à ouvrir sa porte, elle y parvint cependant. Malcolm la suivit à l'intérieur et referma doucement la porte derrière lui.

J'ai décrit cette partie avec une grande abondance de détails car je crois important pour l'élève de voir ce qu'il affronte et quelle doit être sa démarche dans la résolution des problèmes pratiques du jeu. On peut n'être pas capable de jouer aussi bien la défense et la contre-attaque, mais la partie n'en conserve pas moins un but intéressant à poursuivre : comment continuer à se battre sur une position où votre adversaire dispose d'une plus grande mobilité et de meilleures perspectives.

Fred Reinfeld, *Le Traité des Echecs.*

« Je ne vous crois pas. »

La jeune fille était assise sur le divan, les yeux braqués sur Malcolm. Elle n'était plus aussi effrayée, mais son cœur battait à lui rompre les côtes.

Malcolm soupira. Il se tenait devant elle depuis une heure. En inspectant le contenu de son sac, il avait appris qu'elle s'appelait Wendy Ross, vingt-sept ans, avait vécu et passé son permis de conduire à Carbondale, Illinois, pesait 61 kg pour 1 m 70 (taille coquettement surestimée, il en était certain), donnait régulièrement un sang de type O positif à la Croix-Rouge, était inscrite à la bibliothèque publique d'Alexandrie, membre de l'Association des Anciens Elèves de l'Université du Sud-Illinois, et qu'elle était habilitée à recevoir et délivrer des assignations pour le compte de ses employeurs, Bechtel, Barber, Sievers, Holloron et Muckleston. De ce qu'il pouvait lire sur son visage, il savait qu'elle avait peur et qu'elle ne le croyait vraiment pas. Malcolm ne pouvait l'en blâmer, car lui-même avait peine à croire à son histoire, qu'il savait véridique.

— Ecoutez, dit-il, si ce que je vous ai raconté n'est pas vrai, pourquoi essaierais-je de vous persuader du contraire ?

— Je ne sais pas.

— Oh, bon sang !

Malcolm arpenta la pièce. Il pouvait la ligoter et disposer tout de même de son logement, mais c'était risqué. D'autre part, elle pouvait lui être d'un inestimable secours. L'inspiration lui vint au beau milieu d'un éternuement.

— Ecoutez, fit-il en essuyant sa lèvre supérieure, supposons que j'arrive au moins à vous prouver que j'appartenais à la C.I.A. Est-ce que vous me croiriez alors ?

— Peut-être !

Une lueur nouvelle s'alluma dans le regard de la jeune fille.

— Bien. Regardez ça !

Malcolm s'assit près d'elle. Il sentit son corps tendu mais elle prit le bout de carton écorné.

— Qu'est-ce que c'est ?

— Ma carte d'identité de la C.I.A. Regardez, c'est moi avec les cheveux longs.

Elle dit d'une voix glaciale :

— Il est écrit dessus Tentrex Industries, pas C.I.A. Je sais lire, vous savez.

Il sentit qu'elle regrettait aussitôt le ton qu'elle avait employé, mais elle ne s'excusa point.

— Je sais bien ce qu'il y a écrit dessus. Malcolm sentait croître son impatience et sa nervosité. Son plan pouvait rater. « Avez-vous un annuaire ? » La jeune fille montra un guéridon. Malcolm traversa la pièce, prit l'énorme volume et le lui lança. Elle était tellement sur le qui-vive qu'elle l'attrapa sans manifester le moindre trouble. Malcolm lui cria : « Cherchez Tentrex Industries. N'importe où ! Dans les pages blanches, dans les pages jaunes, où vous voudrez. La carte comporte un numéro de téléphone et une adresse dans Wisconsin Avenue, alors ça doit être dans l'annuaire. Regardez ! »

La jeune fille regarda, puis chercha encore. Elle referma l'annuaire et fixa Malcolm.

— Bon, vous avez une carte d'identité d'une maison qui n'existe pas. Qu'est-ce que ça prouve ?

— Parfait !

Malcolm traversa la pièce, très excité, en prenant le téléphone. Le fil était juste assez long. « Maintenant, dit-il, comme s'il lui confiait un secret, cherchez le numéro de la C.I.A. à Washington. C'est celui de ma carte. »

La jeune fille rouvrit l'annuaire et feuilleta les pages. Un moment elle parut ébranlée, puis changea de visage et dit d'un ton interrogateur :

— Vous avez pu trouver ça avant de fabriquer la carte, rien que pour des cas comme celui-ci.

Merde, se dit Malcolm. Il vida tout l'air de ses poumons, respira à fond et repartit à l'attaque.

— D'accord, c'est possible, mais il y a un moyen de vérifier. Appelez ce numéro.

— Il est plus de cinq heures, répondit la jeune fille. Si personne ne répond, est-ce que je devrai vous croire jusqu'à demain matin ?

Patiemment, calmement, Malcolm lui expliqua :

— Vous avez raison. Si Tentrex est une maison normale, c'est fermé. Mais la C.I.A. ne ferme jamais. Appelez ce numéro et demandez Tentrex. » Il lui tendit l'appareil. « Une seule chose. Je prends l'écouteur. Alors, pas de blagues ! Vous raccrocherez quand je vous le dirai. »

La fille acquiesça et composa le numéro. Trois sonneries.

— WE4-3926.

— Je voudrais Tentrex Industries, s'il vous plaît !

La voix de la jeune fille était très sèche.

— Désolé, répondit une voix suave. Un léger déclic se fit entendre sur la ligne. « Il n'y a plus personne chez Tentrex à cette heure-ci. Ils seront là demain matin. Puis-je vous demander qui vous êtes et ce que vous voulez... »

Malcolm coupa la communication avant que le dépistage n'ait eu le temps d'avoir une vague indication sur l'origine de l'appel. La fille raccrocha lentement. Pour la première fois, elle regarda Malcolm en face.

— Je ne sais pas si je crois tout ce que vous m'avez raconté, dit-elle, mais je pense en croire une partie.

— Une dernière preuve.

Malcolm tira le revolver de son pantalon et le lui posa délicatement sur les genoux. Il traversa la pièce et alla s'asseoir sur le fauteuil d'osier. Ses paumes étaient moites mais il valait mieux prendre le risque maintenant que plus tard.

— Vous avez le revolver. Vous pouvez me tirer dessus au moins une fois avant que je ne sois en mesure d'intervenir. Vous avez le téléphone. J'ai assez confiance en vous pour penser que vous pouvez me croire. Appelez qui vous voulez, la police, la C.I.A., le F.B.I., je m'en fous. Dites-leur que vous me tenez. Mais je veux que vous sachiez ce qui risque d'arriver, si vous le faites. Les autres peuvent intercepter votre appel. Ils risquent d'arriver ici les premiers et, dans ce cas-là, nous sommes tous les deux morts.

La jeune fille resta longtemps muette, fixant des yeux le lourd revolver posé sur ses genoux. Puis, d'une voix si basse que Malcolm dut tendre l'oreille, elle dit :

— Je vous crois.

Elle se mit soudain à déborder d'activité. Elle se leva, posa l'arme sur la table et arpenta la pièce.

— Je... Je ne sais pas ce que je pourrai faire pour vous aider, mais j'essaierai. Vous pouvez rester coucher ici, dans l'autre chambre. Euh... » Elle se tourna vers la petite cuisine et dit d'un ton paisible : « Je pourrais vous préparer à manger. »

Malcolm sourit du fond du cœur, un sourire qu'il avait pensé ne plus jamais retrouver.

— Pouvez-vous faire quelque chose pour moi ?

— Tout ce que vous voudrez, je ferai tout ce que vous voudrez.

Les nerfs de Wendy se dénouaient, maintenant qu'elle ne craignait plus pour sa vie.

— Me prêter votre douche. J'ai plein de cheveux dans le dos, qui me piquent horriblement.

Elle eut un sourire moqueur et ils éclatèrent de rire. Elle le conduisit à la salle de bains à l'étage et lui fournit savon, shampooing et serviettes. Elle ne dit pas un mot en le voyant emporter l'arme avec lui. Dès qu'elle l'eut quitté, il revint sur la pointe des pieds en haut de l'escalier. Pas de bruit de porte, ni de déclic de téléphone. Lorsqu'il entendit des tiroirs s'ouvrir et se fermer, de l'argenterie tinter, il retourna à la salle de bains, se dévêtit et grimpa dans la cabine de douche. Malcolm resta une demi-heure sous le jet, laissant les doux filets d'eau détendre tous ses muscles. La vapeur dégagea ses sinus et, quand il arrêta enfin l'eau, il se sentait redevenu presque humain. Il mit son nouveau pull-over sur des sous-vêtements frais. Machinalement il se regarda dans la glace pour se peigner. Ses cheveux étaient si courts qu'il n'eut besoin que d'y passer la main deux fois.

La stéréo marchait lorsqu'il descendit l'escalier. Il reconnut au passage l'enregistrement d'*Orfeo Negro* par Vince Guaraldi. La chanson disait : « Jette au vent ton destin ! » Il possédait aussi ce disque et le lui dit en se mettant à table.

Avec les crudités, elle lui narra ce qu'était l'existence dans une petite ville de l'Illinois. Entre deux bouchées de mange-tout surgelés, il apprit comment on vivait à l'Université du Sud-Illinois. La purée de pomme de terre fut malaxée dans une histoire de vague fiancé. Entre deux morceaux de steak au fromage, il prêta l'oreille à ce qu'a de fastidieux l'emploi gagne-pain de secrétaire d'un cabinet juridique de Washington. Il y eut une pause pour le gâteau au fromage blanc, nappé de cerises Sara Lee. En versant le café, elle résuma le tout par un : « Tout ça est sans intérêt. Jusqu'à aujourd'hui, bien sûr. »

Pendant le lavage de la vaisselle, il lui dit pourquoi il avait son prénom en horreur. Elle lui promit de ne jamais s'en servir. Elle l'éclaboussa d'un peu de mousse de savon, mais l'essuya tout aussitôt.

Après la vaisselle, il lui dit bonsoir et monta, en se traînant, à la salle de bains. Il rangea ses verres de contact dans leur étui portatif (qu'est-ce que je donnerais pour avoir mes lunettes et mon bain d'yeux, pensa-t-il). Il se brossa les dents, traversa le vestibule pour trouver un lit aux draps frais, glissa par précaution un mouchoir sous son oreiller, posa le revolver sur la table de nuit et s'endormit.

Elle le rejoignit peu après minuit. Il pensa d'abord qu'il rêvait mais sa respiration et la chaleur de son corps étaient bien trop réelles. Sa première sensation vraiment consciente fut de remarquer qu'elle venait de se doucher. Il put à peine sentir l'odeur de ses sels de bain confondue au doux parfum de son sexe. Il roula sur le côté, serrant son corps avide contre lui. Leurs bouches se trouvèrent. Elle lui glissa sa langue en mouvement entre les lèvres. Elle était dans un état d'excitation intense. Il eut du mal à se dégager de ses bras pour se débarrasser de ses sous-vêtements. Leurs visages étaient à présent imbibés de la transpiration de l'autre. Enfin nu, il la fit rouler sur le dos, mit sa main sur la face interne de ses cuisses, remonta lentement, caressant du bout des doigts ses hanches agitées d'un rythme souple, passa sur son ventre plat et palpitant pour atteindre ses mamelons volumineux et durcis. Ses doigts saisirent un petit sein qui tenait aisément dans le creux de sa main. L'image de la fille qui passait devant l'immeuble de la Société lui traversa l'esprit : elle avait une poitrine belle et pleine. Il pressa doucement. Wendy gémit et lui attira la tête contre sa poitrine, les lèvres contre ses mamelons érigés. Tout en promenant délicatement sa bouche sur ses seins, il fit courir sa main plus bas, où l'incendie humide brûlait entre ses jambes. Lorsqu'il la toucha, elle aspira une bouffée d'air et, sans brusquerie mais fermement, s'arqua. Elle le trouva et, une seconde après, murmura doucement : « Viens maintenant ! » Il la pénétra délicatement, comme pour un dépucelage. Ils s'étreignirent. Elle essayait de couvrir toute la surface de son corps avec le sien. Ses fermes poussées répandaient le feu en elle. Elle fit glisser ses mains dans le bas de son dos et, juste avant qu'ils n'explosent, il sentit ses ongles s'enfoncer dans ses fesses pour qu'il pénètre plus avant.

Ils restèrent étendus, tranquilles, pendant une demi-heure, puis recommencèrent lentement et plus attentivement, mais avec une plus grande intensité. Après, étendue contre la poitrine du jeune homme, elle parla.

— Tu n'as pas besoin de m'aimer. Je ne t'aime pas, du moins je ne le crois pas. Mais je te désire et j'ai besoin de toi.

Malcolm ne dit rien mais la tint plus serrée. Ils s'endormirent.

D'autres ne se couchèrent pas cette nuit-là. Quand on apprit à Langley les circonstances de la blessure de Weatherby, les esprits déjà tendus se crispèrent devantage. Des bolides bourrés d'hommes extrêmement déterminés coiffèrent au poteau l'ambulance envoyée dans le passage. La police de Washington se plaignit à ses supérieurs de ce que des individus non identifiés, prétendant être officiers fédéraux, interrogeaient les témoins. Le conflit entre les deux administrations gouvernementales fut évité par l'irruption d'une troisième. Trois voitures officielles supplémentaires survinrent sur les lieux. Deux messieurs très sérieux, en chemise blanche empesée et complet noir, fendirent la foule des badauds entassés pour informer les responsables des deux autres services que le F.B.I. était désormais chargé de l'affaire. Les « officiers fédéraux non identifiés » et la police de Washington consultèrent leurs quartiers généraux qui dirent à chacun de ne pas s'interposer.

Le F.B.I. entra en lice lorsque les autorités compétentes décidèrent qu'il s'agissait probablement d'une affaire d'espionnage. L'Acte de Sécurité nationale de 1947 stipule : « L'Agence (C.I.A.) n'aura ni police, ni droit d'assignation de témoins, ni pouvoir judiciaire, ni fonctions de sécurité intérieure. » Les événements de la journée appartenaient de toute évidence au domaine des activités subversives intérieures, du ressort du F.B.I. Mitchell se garda tant qu'il le put de fournir des détails à l'administration sœur, mais finalement un directeur délégué céda aux pressions.

Mais rien n'interdit à la C.I.A. d'enquêter sur les agressions commises à l'encontre de ses agents ; où qu'elles se produisent. L'Agence dispose d'une brèche permettant nombre d'activités contestables. Cette brèche — la résolution de l'Acte — autorise l'Agence à remplir « d'autres fonctions et obligations relatives à l'espionnage mettant en cause la sûreté nationale, suivant les directives éventuelles du Conseil national de Sécurité ». L'Acte accorde aussi à l'Agence le pouvoir d'interroger les gens à l'intérieur du pays. Les directeurs de l'Agence décidèrent que la nature tout à fait exceptionnelle de la situation autorisait une intervention directe de l'Agence. Cette intervention se poursuivrait, en droit comme en fait, tant qu'elle ne serait pas arrêtée par un ordre direct du Conseil national de Sécurité. Par une note très courtoise mais ferme, ils informèrent le F.B.I. de leur décision, avec bien sûr leurs remerciements pour sa coopération et leur gratitude pour toute aide à venir.

La police de Washington fut laissée aux prises avec un cadavre et un blessé par balles dans un état sérieux, disparu dans une clinique de Virginie inconnue. Les assurances que lui prodiguèrent divers officiers fédéraux ne la contentèrent pas plus qu'ils ne l'apaisèrent, mais elle se trouvait dans l'impossibilité de poursuivre « son » affaire.

Le méli-mélo administratif tendait à se résoudre sur le terrain, là où les rivalités administratives pèsent fort peu en regard des victimes. Les fonctionnaires compétents des différents services consentirent à coordonner leurs efforts. En fin de journée commença à s'organiser une des plus vastes chasses à l'homme de l'histoire de Washington, avec pour objectif : Malcolm. Le lendemain matin, les chasseurs avaient parcouru le terrain en tous sens, sans trouver le moindre indice de l'endroit où se cachait leur gibier.

C'était peu pour éclairer la sinistre matinée des hommes assis autour d'une table, dans un bureau du centre de Washington. La plupart s'étaient couchés très tard la nuit précédente et la plupart étaient d'humeur fort maussade. Ce groupe de liaison rassemblait tous les directeurs de l'Agence et des représentants de chaque bureau de renseignements du pays. L'homme qui présidait, assis au haut bout de la table, était le directeur responsable de la Division Renseignement. Les événements s'étaient déroulés au sein de sa Division, il avait été désigné pour diriger l'enquête. Il résuma les faits à l'intention des hommes graves qui lui faisaient face.

— Huit membres du personnel de l'Agence tués, un blessé et un manquant, — sans doute un agent double. Je vous rappelle que nous ne disposons que d'une tentative — que je qualifierai de douteuse — d'explication des motifs.

— Quelles sont vos raisons de penser que la note laissée par les tueurs est mensongère ?

L'homme qui venait de prendre la parole portait l'uniforme de la Marine des Etats-Unis.

Le directeur soupira. Au capitaine, il fallait tout expliquer deux fois.

— Nous n'affirmons pas que c'est un faux, nous nous bornons à le penser. Nous croyons que c'est une ruse, une tentative d'imputer aux Tchèques la responsabilité du massacre. Evidemment, nous avons attaqué une de leurs bases à Prague, mais pour une opération de renseignement précise et rentable. Nous n'avons fait qu'un mort. Quant à eux, ils sont capables de bien des choses, mais la vendetta spectaculaire n'est pas leur spécialité. Non plus que de laisser des notes clairement explicites sur les lieux. Surtout quand cela ne peut rien leur rapporter. Rien.

— Ah, puis-je poser une ou deux questions, monsieur le directeur ?

Le directeur se pencha, immédiatement attentif.

— Certainement, monsieur.

— Merci.

L'homme qui avait parlé était de petite taille et assez âgé. Aux étrangers, il apparaissait inévitablement comme un bon vieil oncle à l'œil pétillant.

— Juste pour me rafraîchir la mémoire — arrêtez-moi si je me trompe — : celui de l'appartement, Heidegger, avait du pentothal dans le sang ?

— C'est exact, monsieur.

Le directeur fit un effort pour tenter de se remémorer s'il n'avait oublié aucun détail dans son exposé.

— Et pourtant aucun des autres n'a été interrogé à ce degré, pour autant que nous le sachions. Très étrange. On est allé le trouver la nuit, avant les autres. Tué juste avant l'aube. Et cependant, votre enquête signale le passage de notre gars, Malcolm, dans son appartement, l'après-midi, après avoir tiré sur Weatherby. Vous avez dit que rien ne permettait de supposer que Heidegger fût un agent double. Aucune dépense au-dessus de ses moyens, pas de signes extérieurs de richesse, aucune tentative de corruption signalée, il n'offrait pas de prise à un chantage ?

— Rien, monsieur.

— Pas d'indices d'instabilité mentale ?

De tous les groupes de la nation, le personnel de la C.I.A. est celui qui est le plus sujet aux maladies mentales.

— Aucun, monsieur. Si ce n'est son alcoolisme passé, il semblait normal, quoique un peu renfermé.

— Oui, j'ai lu cela. L'enquête menée sur les autres révèle-t-elle quelque chose sortant de l'ordinaire ?

— Rien, monsieur.

— Auriez-vous l'amabilité de me lire ce que Weatherby a déclaré aux médecins ? Au fait, comment va-t-il ?

— Mieux, monsieur. Les médecins disent qu'il vivra mais on l'ampute de sa jambe, ce matin. Le Directeur fouilla dans ses papiers et finit par trouver celui qu'il cherchait.

Voilà. Vous devez vous souvenir qu'il est resté sans connaissance presque tout le temps, mais il s'est réveillé une fois, a regardé les médecins et dit : « Malcolm m'a tiré dessus. Il a tiré sur nous deux. Attrapez-le ! Tuez-le ! »

Il y eut du remue-ménage au bout de la table et le capitaine de vaisseau se pencha en avant sur sa chaise. D'une voix forte et pâteuse, il déclara :

— Je dis que nous devons dénicher cet enfoiré et le pulvériser hors du trou de rat où il se cache.

L'homme âgé gloussa :

— Oui. Eh bien, je suis tout à fait d'accord sur la nécessité de retrouver notre fantasque Condor. Mais je pense qu'il serait dommage de le « pulvériser » avant qu'il nous ait dit pourquoi il a tiré sur ce pauvre Weatherby. Et pourquoi on a tiré sur tous les autres. Quelque chose d'autre pour nous, directeur ?

— Non, monsieur, fit le directeur en rangeant des papiers dans sa serviette. Je pense que nous avons fait le tour de la situation. Vous possédez maintenant toutes les informations que nous détenons. Merci d'être venus.

Tandis que les assistants se levaient, le vieil homme se tourna vers un de ses collègues et dit à mi-voix : « Je me demande pourquoi. » Puis avec un sourire et un hochement de tête, il quitta la pièce.

Malcolm se réveilla quand les caresses de Wendy devinrent impossibles à ne pas sentir, même pour un malade. Ses mains et sa bouche se promenaient sur tout son corps et, avant qu'il se rendît bien compte de ce qui lui arrivait, elle se jucha sur lui et de nouveau il sentit sa frémissante chaleur devenir incendie. Quand ce fut terminé, elle le regarda un long moment, explorant son corps du bout des doigts comme s'il s'agissait d'une terre inconnue. Elle toucha son front et fronça les sourcils.

— Malcolm, tu ne te sens pas bien ?

Malcolm n'avait nulle intention de jouer les héros. Il hocha la tête et tira de sa gorge un « non » rocailleux. Ce simple mot sembla faire éclater les muqueuses rougeâtres qui gonflaient sa gorge. Il n'était plus question de dire un mot de la journée.

— Tu es malade ? Wendy tira le bas de sa joue. Laisse-moi voir ! ordonna-t-elle, en le forçant à ouvrir la bouche. Mon Dieu ! C'est tout rouge là-dedans ! Elle lâcha Malcolm et commença à descendre du lit. Je vais appeler un médecin.

Malcolm lui saisit le bras. Elle se tourna vers lui d'un air effrayé, puis sourit.

— Ne t'en fais pas. J'ai une amie dont le mari est médecin. Il passe par ici en voiture tous les matins pour se rendre à sa clinique. Je ne pense pas qu'il soit déjà parti. S'il est encore là, je lui demanderai de s'arrêter pour voir mon petit ami malade. Elle eut un rire. Ne te fais pas de bile. Il ne le dira à âme qui vive, parce qu'il va penser être dépositaire d'un secret d'une autre espèce. D'accord ?

Malcolm la regarda une seconde, puis lâcha son bras et fit un signe d'assentiment. Tant pis si le médecin ramenait avec lui l'ami de Moineau IV. Il ne demandait qu'une chose : être soulagé.

Le docteur était un homme bedonnant entre deux âges et qui parlait peu. Il ausculta Malcolm, prit sa température et regarda si longtemps sa gorge que Malcolm pensa vomir. Le docteur, enfin, releva les yeux et dit :

— Vous avez une bonne angine streptococcique, mon garçon. Il regarda Wendy qui rôdait, anxieuse, aux alentours. Il n'y a pas de quoi s'inquiéter réellement. On va soigner ça ! Malcolm vit le médecin manipuler quelque chose dans sa sacoche. Quand il se retourna vers Malcolm, il tenait à la main une seringue hypodermique.

— Tournez-vous et baissez votre caleçon.

L'image d'un bras flasque et froid marqué d'une piqûre minuscule traversa l'esprit de Malcolm. Il se raidit.

— Bon sang, ça ne vous fera pas mal. Ce n'est que de la pénicilline.

Après avoir fait sa piqûre à Malcolm, le médecin se tourna vers Wendy.

— Tenez, dit-il, en lui tendant une feuille de papier. Procurez-vous ça et veillez à ce qu'il le prenne. Il a besoin d'une journée de repos, au moins. Le docteur sourit et se pencha vers elle pour lui souffler : « Et Wendy, j'entends un repos total. »

Il gagna la porte en riant. Une fois sur le seuil, il se tourna vers elle et dit malicieusement :

— A qui faut-il envoyer ma note ?

Wendy sourit timidement et lui tendit vingt dollars. Le médecin s'apprêtait à ouvrir la bouche mais Wendy coupa net ses protestations.

— Il peut se le permettre. Il... nous vous remercions vraiment d'être venu.

— Ouais, grommela le docteur d'un ton sarcastique, il peut. Je suis en retard pour ma pause café. » Il prit un temps pour la regarder. « Vous savez, il est le genre de panacée dont je pense que vous aviez besoin depuis longtemps. » Avec un geste d'adieu de la main, il partit.

Quand Wendy remonta, Malcolm dormait. Elle quitta l'appartement sans faire de bruit. Elle passa la matinée à faire des achats, d'après la liste qu'elle et Malcolm avaient établie en attendant le médecin. Elle fit exécuter l'ordonnance et acheta plusieurs paires de sous-vêtements et de chaussettes, quelques chemises et pantalons, une veste, et quatre livres de poche différents, ne connaissant pas les goûts de Malcolm en matière de lecture. Elle revint des commissions à l'heure de préparer le déjeuner. Elle passa un après-midi et une soirée paisibles, allant voir de temps à autre celui dont elle avait la charge. Elle fut souriante toute la journée.

La supervision de la vaste et parfois indocile communauté américaine de l'espionnage posait le problème classique de *sed quis custodiet ipsos custodes :* qui surveille ceux qui nous surveillent ? En plus des organismes internes fonctionnant indépendamment dans chaque agence, l'Acte de Sécurité nationale de 1947 créa le Conseil national de Sécurité, organisme dont la composition varie à chaque changement d'administration présidentielle. Le Conseil est obligatoirement composé d'un président et d'un vice-président et réunit habituellement les principaux ministres. La fonction essentielle du Conseil est de superviser les activités des agences de renseignement et de prendre les décisions politiques qui orientent ces activités.

Mais les membres du Conseil national de Sécurité sont des gens très occupés par des tâches absorbantes — en plus de la supervision d'un réseau d'espionnage immense. Les membres du Conseil, à leur corps défendant, n'ont donc pas le loisir de se consacrer aux affaires de l'espionnage, si bien que la plupart des décisions relatives à la communauté du renseignement est prise par une « sous-commission » plus restreinte du Conseil, connue sous le nom de Groupe Spécial. Les initiés désignent fréquemment le Groupe Spécial sous l'appellation de Groupe 54/12, car il fut créé par le Décret confidentiel 54/12, au début de l'administration Eisenhower. Le Groupe 54/12 est virtuellement inconnu en dehors de la communauté du renseignement et même en son sein ; seule une poignée d'hommes est au courant de son existence.

La composition du Groupe 54/12 varie également à chaque changement de président. Y siègent généralement le directeur de la C.I.A., le sous-secrétaire d'Etat chargé des Affaires politiques ou son délégué, le ministre de la Défense et son adjoint. Sous l'administration Kennedy et au début de l'administration Johnson, le représentant présidentiel et l'homme-clef du groupe 54/12 était Mc George Bundy. Les autres membres en étaient Mac Cone, Mac Namara, Roswell Gilpatric (ministre adjoint de la Défense) et U. Alexis Johnson (sous-secrétaire d'Etat adjoint aux Affaires politiques.)

Superviser la communauté américaine du renseignement n'est pas une sinécure, même pour un petit groupe de professionnels s'y consacrant à temps complet. Un premier problème tient au fait que les superviseurs dépendent de ceux qu'ils supervisent pour une grande part des informations nécessaires à leur contrôle. Cette situation engendre nécessairement de délicats casse-tête.

Un autre problème réside dans les compétences territoriales. Ainsi, par exemple, un savant américain se livre à l'espionnage sur le territoire national, alors qu'il est employé par la N.A.S.A., il passe au service de la Russie et continue d'espionner en résidant en France. Laquelle des agences américaines sera responsable de sa neutralisation ? Le F.B.I., puisqu'il a commencé ses activités sous la juridiction de cet organisme, ou bien la C.I.A., puisqu'il les a poursuivies dans un territoire qui est de son ressort ? Les possibilités de jalousie administrative, débouchant sur une rivalité ouverte, rendent ces questions d'une importance capitale.

Peu après sa création, le Groupe 54/12 tenta de résoudre ces problèmes d'information interne et de compétence territoriale. Le Groupe 54/12 mit sur pied une petite section spéciale de sécurité, section sans autre identité particulière que celle de détachement du Groupe 54/12. Au nombre des attributions de la Section Spéciale figure le problème des liaisons. Le chef de la Section Spéciale coiffe un comité composé de dirigeants de toutes les agences de renseignement. Il dispose du pouvoir d'arbitrer tous les problèmes d'attribution de compétence. La Section Spéciale a également pour tâche d'évaluer objectivement toutes les informations fournies au Groupe 54/12 pour la communauté du renseignement. Mais par-dessus tout, la Section Spéciale dispose du pouvoir d'assumer « toutes fonctions de sécurité, rendues nécessaires par suite de circonstances exceptionnelles, soumises à la règle du groupe (54/12) et en rapport avec sa mission. »

Pour permettre à la Section Spéciale d'accomplir sa tâche, le Groupe 54/12 fournit une équipe légère au chef de la section et l'autorisa à recourir à l'assistance des autres principaux groupes de sécurité et de renseignement, dans les cas où il aurait besoin de personnel, et de faire acte d'autorité.

Le Groupe 54/12 est conscient d'avoir créé un problème potentiel. La Section Spéciale peut suivre la tendance naturelle à la plupart des organismes gouvernementaux qui est de croître en taille et en complexité et de devenir ainsi une partie du problème que sa création était chargée de résoudre. La Section Spéciale, toute réduite qu'elle soit, dispose d'une puissance redoutable et d'une autorité énorme. La plus petite erreur commise par la Section peut agir comme un levier d'une grande amplitude. Le Groupe 54/12 exerce donc un contrôle étroit sur sa créature. Il surveille de près toute possibilité de croissance bureaucratique de la Section, passe ses activités en revue, cantonne au strict minimum ses tâches opérationnelles et ne place à sa tête que des hommes hors du commun.

Tandis que Malcolm et Wendy attendaient la visite du médecin, un homme solidement bâti et à l'air sérieux attendait dans l'antichambre d'un bureau de l'avenue de Pennsylvanie, pour répondre à une convocation très spéciale. Il s'appelait Kevin Powell. Il attendait sans impatience mais avec curiosité : une convocation de cette sorte, il n'en recevait pas tous les jours. Enfin, une secrétaire vint lui faire signe d'entrer et il fut introduit dans le bureau d'un homme qui avait l'apparence d'un grand oncle aimable et fin. Le vieil homme invita Powell à s'asseoir.

— Ah, Kevin, quel plaisir de vous voir.

— Le plaisir est pour moi, monsieur. Vous paraissez en pleine forme.

— Vous aussi, mon garçon, vous aussi. Tenez ! Le vieil homme remit un dossier à Powell. Lisez cela !

Tandis que Powell lisait, le vieil homme l'examinait attentivement. Le chirurgien esthétique avait merveilleusement réussi le travail effectué sur son oreille et seul un œil exercé aurait pu détecter le léger renflement situé près de son aisselle gauche. Quand Powell leva les yeux, le vieil homme dit :

— Qu'en pensez-vous, mon garçon ?

Powell choisit soigneusement ses mots.

— Très étrange, monsieur. Je ne suis pas certain de ce que cela signifie, quoique cela puisse signifier beaucoup de choses.

— C'est exactement ce que je pense, mon garçon, exactement. L'Agence et le F.B.I. ont tous les deux des escouades qui ratissent la ville, surveillent les aéroports, les autobus, les trains. La routine habituelle, mais portée à un niveau vertigineux. Comme vous le savez, ce sont ces opérations de routine qui permettent d'obtenir ou de susciter les meilleurs résultats et je dois dire qu'ils opèrent très bien. Du moins, jusqu'à présent.

Il prit un temps pour reprendre sa respiration et s'encourager de l'intérêt que Powell manifestait par son regard.

— Ils ont découvert un coiffeur qui se souvient avoir coupé les cheveux de notre garçon — action plutôt prévisible mais louable de sa part — peu de temps après que Weatherby a été touché. A propos, ce dernier se remet magnifiquement. On pense pouvoir l'interroger tard dans la soirée. Où en étais-je ?... Oh oui. Ils ont ratissé le quartier, trouvé où il avait acheté quelques vêtements, mais ensuite ils ont perdu sa trace. Ils ne savent plus dans quelle direction chercher. J'ai là-dessus une ou deux idées personnelles mais je vous les dirai plus tard. Il y a un certain nombre de points que je voudrais passer en revue avec vous. Voyez si vous pouvez y trouver une réponse à ma place, ou bien imaginer d'autres questions auxquelles j'aurais pu ne pas penser.

« Pourquoi ? Pourquoi toute cette affaire ? Si c'était la Tchécoslovaquie, pourquoi se serait-elle attaquée à cette branche particulière, à cette bande d'analystes inoffensifs ? Si ce n'est pas elle, nous revenons à notre première question.

« Voyez leur façon de faire. Pourquoi une telle sauvagerie ? Pourquoi avoir descendu ce type, Heidegger ? Que savait-il donc de plus que les autres ? S'il était un cas spécial, pourquoi avoir tué aussi ses collègues ? Si Malcolm travaille pour eux, ils n'avaient pas besoin d'interroger Heidegger de cette façon-là. Malcolm aurait pu les renseigner.

« Et puis nous avons ce garçon, Malcolm. Malcolm et tous ces pourquoi. S'il est un agent double, pourquoi a-t-il utilisé la procédure d'Urgence ? S'il est un agent double, pourquoi a-t-il organisé un rendez-vous pour tuer Moineau IV, qu'il aurait pu éliminer à sa guise, en se donnant simplement la peine d'établir l'identité de ce pauvre type ? S'il n'est pas un agent double, pourquoi a-t-il tiré sur les deux hommes envoyés sur sa demande afin de le mettre en lieu sûr ? Pourquoi est-il allé à l'appartement d'Heidegger après la fusillade ? Et, bien entendu, où, pourquoi et en quel état est-il à présent ?

« Il y a une foule d'autres questions qui découlent de celles-ci, mais je crois que ce sont sont là les principales. Est-ce bien votre avis ? »

Powell approuva.

— Oui. Où est-ce que j'interviens ?

Le vieil homme sourit.

— Vous, mon cher ami, avez la chance d'être prêté à ma section. Comme vous le savez, nous avons été créés pour débrouiller les micmacs de la bureaucratie. Je présume que certains de ces gratte-papiers qui ont traîné ma vieille carcasse à cette place supposaient que j'allais débiter de la paperasserie inutile jusqu'à ce que je meure ou démissionne. Aucune de ces deux perspectives ne me séduit, j'ai donc redéfini le travail de liaison, pour qu'il se fasse avec un minimum de paperasse et un maximum d'efficacité. Je me suis approprié une excellente équipe de détectives et j'ai monté ma petite boutique comme au bon vieux temps. Dans le dédale officiel du monde de l'espionnage, j'ai une bonne réserve de situations confuses pour m'amuser. Un auteur dramatique de ma connaissance a prétendu un jour que le meilleur moyen de créer le chaos est de remplir une scène d'acteurs. Je me suis arrangé pour édifier mon capital sur le chaos des autres.

« Je crois que certains de mes efforts, ajouta-t-il sans forfanterie, tout modestes qu'ils aient été, n'ont pas été inutiles à mon pays.

« Arrivons-en maintenant à cette petite affaire. Elle n'entre pas vraiment dans mes attributions, mais cette fichue histoire m'intrigue. En outre, je pense qu'il y a quelque chose qui ne va pas dans la manière dont l'Agence et le Bureau mènent l'enquête. Tout d'abord, il s'agit d'une situation tout à fait exceptionnelle et ils emploient des moyens résolument ordinaires. Ensuite, ils se marchent mutuellement sur les pieds, dans leur ardeur commune à ferrer le poisson, selon leur expression. Et puis, il y a encore autre chose que je n'arrive pas vraiment à définir. Quelque chose dans toute cette affaire me turlupine. Ça n'aurait jamais dû arriver. La conception de l'opération, tout comme les modalités de son exécution sont si... vicieuses, si déplacées. Je pense que tout ceci se situe en dehors des paramètres de l'Agence. Je ne taxe pas ces gens d'incompétence — bien qu'à mon avis ils aient négligé un ou deux détails — mais simplement ils sont mal placés pour y voir clair. »

Powell hocha la tête.

— Et vous êtes, vous, à la bonne place, c'est ça ?

Le vieil homme sourit.

— Disons simplement que je ne suis pas trop mal placé. Maintenant, voilà ce que je veux que vous fassiez. Avez-vous examiné la fiche médicale de notre ami ? Ne vous donnez pas la peine de regarder, je vais vous le dire : il a fréquemment des rhumes et des ennuis respiratoires. Il a souvent besoin de soins médicaux. Si vous vous souvenez de la transcription du second appel d'urgence, il a éternué et a dit être enrhumé. Je suis prêt à parier que son rhume a empiré. Donc, où qu'il soit, il sortira pour chercher des soins. Qu'en pensez-vous ?

Powell haussa les épaules.

— On pourrait essayer.

— C'est aussi mon avis. Le vieil homme rayonnait. Ni l'Agence, ni le Bureau n'ont encore pensé à cela, nous avons le champ libre. Je me suis arrangé pour mettre sous vos ordres une équipe spéciale de détectives du district. Ne me demandez pas comment : je me suis débrouillé. Commencez par les généralistes de la zone urbaine. Voyez si l'un d'entre eux a soigné quelqu'un qui ressemble à notre ami — servez-vous de son nouveau signalement. Dans la négative, demandez-leur de nous avertir, si cela leur arrivait. Trouvez une histoire plausible pour gagner leur confiance. Encore un détail. Ne laissez pas les autres se rendre compte que nous sommes sur le coup. La dernière fois qu'ils ont eu une occasion, deux hommes ont été abattus.

Powell se leva pour partir.

— Je ferai mon possible, monsieur.

— Très bien. Très bien, mon garçon. Je sais que je peux compter sur vous. Je continue à réfléchir à ça. S'il me vient une idée, je vous le ferai savoir. Bonne chance !

Powell quitta la pièce. Quand la porte se fut refermée, le vieil homme avait le sourire.

Tandis que Kevin Powell entreprenait systématiquement la monotone revue de tous les médecins de Washington, un homme impressionnant aux yeux étranges descendait d'un taxi devant les Sunny's Surplus. L'homme avait passé sa matinée à lire la photocopie d'un dossier identique à celui que Powell venait d'examiner. Ce dossier lui avait été transmis par un gentleman a l'air très distingué. L'homme aux yeux étranges avait son plan pour retrouver Malcolm. Il passa une heure à circuler en voiture dans le quartier, puis se mit à le parcourir à pied. Dans les bars, devant les kiosques à journaux, dans les bureaux publics, les halls d'immeuble, partout où quelqu'un pouvait faire halte quelques minutes, il s'arrêtait et montrait un dessin représentant Malcolm avec les cheveux courts. Quand les gens semblaient répugner à lui répondre, il leur exhibait prestement une des cinq plaques officielles que l'homme distingué lui avait procurées. A trois heures et demie de l'après-midi, il était fatigué mais n'en montrait rien. Il était plus résolu que jamais. Il s'arrêta dans un milk-bar pour prendre un café. En sortant, il présenta dessin et insigne à la caissière, d'un geste à présent automatique. Presque n'importe qui aurait pu remarquer l'émotion qu'il ressentit quand l'employée lui dit qu'elle avait déjà vu cette tête-là.

— Ouais, j'ai vu ce petit péteux. Il m'a jeté sa monnaie, tant il était pressé de ficher le camp. J'ai filé mon bas, en ramassant sa ferraille par terre.

— Il était seul ?

— Ouais, qui c'est qui oserait se montrer avec une raclure pareille ?

— Avez-vous vu dans quelle direction il est parti ?

— Si je l'ai vu ! Si j'avais eu un feu, je lui aurais tiré dessus. Il est parti par là.

L'homme paya soigneusement sa consommation, en laissant à la caissière un dollar de pourboire. Il marcha dans la direction qu'elle lui avait indiquée. Rien, pas la moindre raison pour un homme aux abois de chercher refuge de ce côté. Pourtant... Il pénétra dans le parking et devint un inspecteur du district pour le gros type coiffé de son feutre.

— Bien sûr, je l'ai vu. Il est monté en voiture avec la poulette.

Les sourcils de l'homme impressionnant se rapprochèrent.

— Quelle poulette ?

— Celle qui travaille chez les avocats. La boîte loue des places pour tous ses employés. Ce n'est pas une beauté, mais elle a du chien, si vous voyez ce que je veux dire.

— Je pense, fit le pseudo-inspecteur, je pense. Qui est-ce ?

— Un instant.

L'homme au chapeau entra en se dandinant dans une petite baraque. Il en ressortit, un registre à la main.

— Voyons place 63... 63. Ouais, voilà. Ross, Wendy Ross. Voilà son adresse à Alexandrie.

Les yeux étroits jetèrent un vif regard sur le livre tendu et enregistrèrent ce qu'ils y lirent. Ils revinrent à l'homme au feutre.

— Merci. L'homme au physique impressionnant allait s'éloigner.

— Pas de quoi. Hé, qu'est-ce qu'il a fait, ce type ?

L'homme s'arrêta et se retourna.

— Rien de grave. On le recherche, c'est tout. Il... il a été mêlé à une affaire — ça ne peut pas vous faire d'ennuis — et on veut seulement s'assurer qu'il est sain et sauf.

Dix minutes plus tard, l'homme impressionnant était dans une cabine téléphonique. A l'autre bout de la ville, un gentleman à l'air distingué décrocha une ligne directe qui ne sonnait que rarement.

— Oui, dit-il. Puis il reconnut la voix.

— J'ai une piste solide.

— Je savais que vous réussiriez. Mettez quelqu'un dessus mais ne le faites intervenir qu'en cas de besoin absolu. Chargez-vous-en personnellement, pour qu'il n'y ait pas d'autres boulettes. Pour l'heure, j'ai un sujet plus pressant qui requiert vos soins experts.

— Notre ami commun souffrant ?

— Oui. Je crains qu'il ne doive se préparer au pire. Rendez-vous au point quatre, sitôt que possible.

On raccrocha. L'homme resta dans la cabine, le temps de

passer rapidement un autre coup de téléphone. Puis il héla un taxi et s'éloigna dans le jour décroissant.

Une petite voiture se gara dans la rue de Wendy contre le trottoir d'en face et un peu plus haut que son appartement, au moment où la jeune fille apportait un bouillon de légumes à Malcolm. Le chauffeur pouvait voir très distinctement la porte de Wendy et pourtant il plia et pencha son corps long et mince dans une posture bizarre. Surveillant l'appartement, il attendit.

L'excès de confiance en soi engendre des mécomptes, si l'on tient pour certain que la partie suivra toujours son cours normal ; si l'on néglige de se prémunir contre une possibilité inhabituelle et embarrassante : un échec, un sacrifice, un pat. Le vaincu, ensuite, peut toujours gémir : « Qui aurait pu imaginer un coup aussi absurde ? »

Fred Reinfeld, *Le Traité des Echecs.*

— Tu te sens mieux ?

Malcolm leva les yeux vers Wendy et dut admettre que oui. Sa douloureuse angine n'était plus qu'un vulgaire mal de gorge et près de vingt-quatre heures de sommeil lui avaient rendu une bonne part de ses forces. Son nez coulait presque sans arrêt et il lui était pénible de parler, mais ces incommodités s'atténuaient lentement.

A mesure que son malaise physique diminuait, son malaise moral augmentait. Il savait qu'on était samedi, le surlendemain du jour où ses collègues avaient été tués et où il avait tiré sur quelqu'un. A l'heure qu'il était, plusieurs groupes de gens dotés de moyens puissants et animés d'une farouche résolution devaient retourner Washington dans tous les sens. Un de ces groupes au moins voulait sa mort. Les autres ne devaient pas déborder d'affection pour lui. Dans une commode, au fond de la pièce, se trouvaient les 9 382 dollars dérobés à un mort ou du moins soustraits de son appartement. Lui était là, alité, sans aucune idée sur ce qui avait pu se passer ou sur ce qu'il allait faire. Et pour couronner le tout, là, sur son lit, était assise cette drôle de fille n'arborant qu'un tee-shirt et un sourire.

— Tu sais, je n'y pige vraiment rien, fit-il d'une voix éraillée.

Et c'était vrai. Après toutes ces heures passées à triturer la question, il ne trouvait à avancer que quatre données sans liens entre elles : quelqu'un s'était infiltré au sein de l'Agence, quelqu'un avait liquidé sa section, quelqu'un avait essayé de faire prendre Heidegger pour un agent double en « cachant » l'argent chez lui, et quelqu'un voulait sa mort.

— Sais-tu ce que tu vas faire à présent ?

De son index, Wendy suivait la courbe de la cuisse de Malcolm sous le drap.

— Non. Il poursuivit, d'un ton exaspéré : « Je pourrais essayer de rappeler le numéro d'Urgence plus tard dans la soirée, si tu m'emmènes à une cabine. »

Elle se pencha et posa un baiser léger sur son front.

— Je t'emmènerai partout.

Elle sourit et l'embrassa délicatement sur les yeux, sur les joues, elle descendit vers sa bouche, plus bas dans son cou. Elle fit glisser le drap, embrassa sa poitrine, descendit jusqu'au ventre et plus bas.

Ensuite ils se douchèrent et il prit ses verres de contact. Il retourna se coucher. Quand Wendy revint dans la chambre, elle était habillée de pied en cap. Elle lui lança quatre livres de poche.

— Je ne sais pas ce que tu aimes, mais voilà de quoi t'occuper pendant que je serai sortie.

— Où vas... Malcolm dut s'arrêter pour avaler. Il avait encore mal. Où vas-tu ?

Elle sourit.

— Gros bêta ! Il faut aller aux provisions. La réserve de vivres commence à baisser et il y a encore des choses qui te manquent. Si tu es gentil — et tu l'es — je te rapporterai peut-être une surprise. » Elle s'éloigna mais se retourna, une fois à la porte. « Si le téléphone sonne, ne réponds que s'il sonne deux fois, s'arrête, et recommence à sonner. Ce sera moi. Est-ce que je ne fais pas bien mon apprentissage d'espionne ? Je n'attends personne. Si tu ne bouges pas, nul ne peut savoir que tu es ici. » Son ton se fit plus sérieux : « A présent, ne t'inquiète pas, veux-tu ? Tu es en parfaite sécurité ici. » Elle tourna les talons et sortit.

Malcolm venait à peine de prendre un livre quand sa tête ressurgit dans l'encadrement de la porte.

— Hé, dit-elle, je viens de penser à un truc. Si j'attrape

ton angine, tu crois que ce sera considéré comme une maladie vénérienne ?

Le bouquin que lui lança Malcolm la manqua.

En ouvrant sa porte et gagnant sa voiture, Wendy ne remarqua pas qu'un homme, dans une camionnette garée de l'autre côté de la rue, sortait de sa léthargie. Il était d'aspect très ordinaire. Il portait un ample imperméable, malgré le soleil printanier qui resplendissait ce matin-là. On aurait pu croire qu'il savait que le beau temps n'allait pas durer. L'homme suivit Wendy des yeux, la vit sortir de son parking et s'éloigner. Il regarda sa montre. Il attendrait trois minutes.

Le samedi, la plupart des fonctionnaires ont congé mais pas tous. Ce samedi particulier vit un grand nombre d'agents de diverses administrations accomplir maussadement des heures supplémentaires. Kevin Powell était du lot. Ses hommes et lui avaient entendu 216 médecins, reçu des infirmières, des internes et divers autres membres du corps médical. Plus de la moitié des généralistes et des otorhinos de la région de Washington avaient été interrogés. Il était à présent onze heures du matin de ce samedi ensoleillé. Tout ce que Powell allait pouvoir rapporter au vieux monsieur derrière son bureau d'acajou se résumait en un mot : rien.

L'humeur du vieil homme ne fut pas affectée par ces nouvelles.

— Eh bien, mon garçon, continuez, je ne peux rien vous dire de plus, continuez. Si ça peut vous consoler, laissez-moi vous dire que nous en sommes au même point que les autres, à ceci près qu'ils n'ont plus rien d'autre à faire que le guet. Mais il y a un fait nouveau : Weatherby est mort.

Powell fut abasourdi.

— Je croyais que vous m'aviez dit que son état s'améliorait.

Le vieux monsieur écarta les mains.

— C'était vrai. On avait l'intention de l'interroger, hier en fin de soirée ou ce matin de bonne heure. Quand les enquêteurs sont arrivés vers une heure du matin, ils l'ont trouvé mort.

— De quelle façon ? La voix de Powell recélait plus qu'une légère suspicion.

— On peut se le demander. Le vigile à sa porte jure qu'il n'a vu entrer et sortir que du personnel médical. Etant donné qu'il était à l'hôpital de Langley, je suis certain que les mesures de sécurité étaient très strictes. Ses médecins traitants déclarent qu'étant donné le traumatisme et l'hémorragie, il est bien possible qu'il soit mort de sa blessure. Ils étaient persuadés qu'il s'en sortirait à merveille. En ce moment, ils procèdent à une autopsie complète.

— C'est très étrange.

— Oui, n'est-ce pas ? Mais parce que c'est étrange, c'était presque à prévoir. Toute l'affaire est bizarre. Mais nous avons déjà parlé de tout cela. J'ai du nouveau pour vous.

Powell se pencha davantage au-dessus du bureau. Il était las. Le vieux monsieur poursuivit :

— Je vous ai déjà dit que je n'étais pas satisfait de la façon dont l'Agence et le Bureau conduisent cette affaire. Ils se sont fourrés dans un cul-de-sac. Et c'est en grande partie à cause des méthodes qu'ils emploient, j'en suis persuadé. Ils poursuivent Malcolm comme un chasseur poursuit n'importe quel gibier. Malgré toute leur expérience de limiers, ils font une erreur. Je voudrais que vous le recherchiez en vous mettant dans la peau de la proie. Vous avez lu tout ce que nous savons sur lui, vous avez vu son appartement. Vous devez avoir une petite idée du bonhomme. Enfilez ses souliers et voyez où ça vous mène.

« J'ai peu de choses pour vous éclairer. Où qu'il se trouve, nous savons qu'il a eu besoin d'un moyen de transport pour s'y rendre. Abstraction faite du reste, un piéton se repère facilement, et c'est ce que notre homme veut éviter. Le Bureau est absolument sûr qu'il n'a pas pris de taxi. Je ne vois pas de raison de mettre leurs investigations en doute sur ce point. Je ne crois pas qu'il ait emprunté un autobus, avec le colis que lui a vendu le type du magasin. De plus, on ne sait jamais qui on peut rencontrer dans un bus.

« Voilà le problème qu'il vous faut résoudre. Prenez un homme ou deux, des hommes doués de la disposition d'esprit nécessaire, et partez de l'endroit où on l'a vu en dernier. Et puis, mon garçon, trouve la voie cachée qu'il a su prendre. »

Juste avant de passer la porte, Powell regarda le vieux monsieur souriant et dit :

— Ce qui est le plus bizarre dans toute cette affaire, monsieur, c'est que Malcolm n'a jamais reçu de formation d'agent opérationnel. C'est un chercheur, et voyez pourtant la manière dont il se débrouille.

— C'est assez bizarre en effet, répondit le vieux monsieur. Il sourit et ajouta : Vous savez, je suis de plus en plus impatient de faire la connaissance de notre Malcolm. Trouvez-le moi, Kevin, trouvez-le-moi vite.

Malcolm avait besoin d'une tasse de café. La chaleur du liquide décongestionnerait sa gorge et la caféine lui donnerait un coup de fouet. Il sourit avec précaution, attentif à ne pas froisser les muscles douloureux de son cou. Avec Wendy, il fallait du ressort à un homme. Il descendit à la cuisine. Il venait de mettre l'eau à bouillir lorsque la sonnette retentit.

Malcolm se figea. Le pistolet était là-haut, tout près du lit, à portée de sa main mais à condition qu'il fût couché. Sans bruit, Malcolm gagna la porte sur la pointe des pieds. La sonnette retentit de nouveau. Il soupira de soulagement quand il vit à travers le judas que ce n'était qu'un facteur à l'air ennuyé, sa sacoche pendue à l'épaule et un colis à la main. Il éprouva alors de l'embarras. S'il n'ouvrait pas, le facteur risquait de revenir jusqu'à ce qu'il ait remis son paquet. Malcolm regarda le bas de son corps. Il n'avait sur lui qu'un caleçon et un tee-shirt. Oh, bah ! pensa-t-il, le facteur en a sûrement vu d'autres. Il ouvrit la porte.

— Bonjour, monsieur, comment allez-vous ce matin ?

Devant la cordialité du facteur, Malcolm, gagné par la contagion, lui rendit son sourire et répondit d'une voix rauque :

— Un peu enrhumé. Que puis-je pour vous ?

— J'ai un paquet pour une demoiselle... Le facteur fit une pause et sourit malicieusement à Malcolm. Une demoiselle Wendy Ross. Recommandé avec accusé de réception.

— Elle n'est pas là pour l'instant. Pouvez-vous repasser plus tard ?

Le facteur se gratta la tête.

— Ben je pourrais, mais ce serait plus simple si vous signiez pour elle. Du moment que c'est signé, l'administration ne va pas voir par qui.

— D'accord, dit Malcolm, vous avez un stylo... ?

Le facteur palpa ses poches sans succès.

— Entrez, dit Malcolm. Je vais en chercher un.

Le facteur sourit en entrant dans la pièce. Il referma la porte derrière lui.

— Vous me simplifiez drôlement l'existence, en vous donnant tout ce mal, dit-il.

Malcolm haussa les épaules.

— C'est la moindre des choses.

Il le laissa pour aller chercher un stylo dans la cuisine. En passant la porte, il nota mentalement que le facteur avait posé son colis et se défaisait de sa sacoche.

Le facteur était très content. Ses ordres étaient de s'assurer de la présence de Malcolm dans l'appartement, de reconnaître les lieux et de ne passer à l'action que si toutes les conditions de sécurité et d'efficacité étaient réunies. Il savait qu'une gratification récompenserait la réussite de l'exécution de Malcolm, laissée à son initiative. Le tour de la fille viendrait ensuite. Il sortit de sa sacoche sa mitraillette Sten à silencieux.

Au moment de déboucher de la cuisine, Malcolm entendit le déclic que fit la mitraillette, quand le facteur l'arma. Malcolm n'avait pas trouvé de stylo. Il revenait avec la cafetière dans une main et une tasse vide dans l'autre, s'étant dit que ce gentil facteur pouvait avoir envie de boire quelque chose. Que Malcolm ne soit pas mort à cet instant est dû, sans doute, au fait que, lorsqu'il entra dans la pièce et vit la mitraillette pointée sur lui, il ne prit pas le temps de réfléchir. Il lança le pot de café bouillant et la tasse vide à toute volée sur le facteur.

Celui-ci n'avait pas entendu Malcolm venir. Son premier réflexe fut d'éviter ces objets qui lui volaient au visage. Il leva les bras, pour se protéger la tête avec son arme. La cafetière rebondit sur la mitraillette, le couvercle sauta, et le café bouillant se répandit sur les bras nus et le visage levé du facteur.

Hurlant, il jeta la mitraillette loin de lui. Elle glissa sur le parquet pour s'immobiliser sous la table de l'électrophone de Wendy. Malcolm plongea désespérément dans sa direction mais un mocassin noir le fit trébucher. Il tomba sur les mains et se releva en chancelant. Vivement, il regarda par-dessus son épaule et s'aplatit. Le facteur vola par-dessus la tête de Malcolm. Si ce saut de côté avait porté son coup, Malcolm aurait eu le crâne fracassé et, selon toute probabilité, la nuque brisée. Bien qu'il n'eût pas pratiqué un dojo depuis six mois, le facteur réussit parfaitement la difficile réception. Mais il atterrit sur la carpette que Wendy avait reçue de sa grand-mère pour son anniversaire. La carpette glissa sur le parquet ciré et le facteur tomba sur les mains. Bondissant deux fois plus vite que Malcolm, il se remit sur pied.

Les deux hommes s'observèrent. Malcolm avait au moins trois mètres à parcourir pour aller chercher la mitraillette sur sa droite. Il atteindrait probablement la table avant le facteur, mais le temps de ramasser l'arme, l'autre serait sur lui. Des deux, Malcolm était le plus près de la porte, mais elle était fermée. Il savait qu'il ne disposerait pas de la précieuse seconde qu'il lui faudrait pour l'ouvrir.

Le facteur regarda Malcolm et sourit. De la pointe de son soulier, il tâta le parquet : bien lisse. Avec pratique et dextérité, il fit glisser ses pieds hors de ses mocassins. Il portait des socquettes. Il s'en débarrassa également, en frottant la plante de ses pieds sur le sol. Le facteur était en mesure à présent de marcher pieds nus, en douceur, et il tirait de ses préparatifs un bénéfice inattendu. Ses pieds nus étreignaient le sol.

Malcolm regardait son adversaire souriant et commença à se résigner à mourir. Il ne pouvait pas savoir que l'autre était ceinture marron, mais il savait que lui était fichu. Les connaissances de Malcolm en matière d'arts martiaux étaient négligeables. Il avait lu des scènes de bagarre dans de nombreux bouquins et en avait vues au cinéma. Enfant, il s'était battu deux fois, vainqueur à la première, perdant à l'autre.

Au collège, son professeur d'éducation physique avait passé trois heures à montrer à la classe quelques bons coups qu'il avait appris chez les Marines. La raison dicta à Malcolm de tenter de copier la posture de son adversaire : jambes fléchies, poings fermés, bras gauche en avant et plié, bras droit collé au corps.

Avec une infinie lenteur, le facteur commença à grignoter les cinq mètres qui le séparaient de sa proie. Malcolm entreprit de se déplacer en crabe sur sa droite en se demandant confusément pourquoi il se donnait cette peine. Quand le facteur fut à deux mètres de Malcolm, il lança son mouvement. Il poussa un cri et, de son bras gauche, fit semblant d'asséner une manchette au visage de Malcolm. Comme le facteur l'avait prévu, Malcolm se baissa vivement sur sa droite. Quand le facteur eut ramené son bras gauche, il projeta son épaule gauche en avant et, prenant appui sur sa jambe gauche, pivota à droite. Aux trois quarts de sa volte, son pied droit se tendit pour frapper la tête baissée de Malcolm.

Mais on ne peut pas rester six mois sans entraînement et attendre des résultats impeccables, même en affrontant un amateur inexpérimenté. Le coup rata le visage de Malcolm mais heurta son épaule gauche avec un bruit sourd. Le choc projeta Malcolm contre la cloison. En s'écartant, Malcolm évita de justesse la manchette de volée qui devait parachever ce coup.

Le facteur était très mécontent de lui. C'était son second échec. Bien sûr, son adversaire était commotionné, mais il aurait dû être mort. Le facteur se dit qu'il lui faudrait reprendre l'entraînement avant d'affronter un adversaire capable de se défendre.

Un bon professeur de karaté vous rabâchera que le karaté est aux trois quarts psychologique. Le facteur le savait, aussi se concentra-t-il entièrement sur la mort de son adversaire. Il se concentra avec une telle intensité qu'il n'entendit pas Wendy ouvrir et refermer la porte sans bruit, pour ne pas réveiller Malcolm. Elle avait oublié son carnet de chèques.

Wendy crut rêver. Ces deux hommes dans sa salle de séjour, c'était irréel. L'un, son Malcolm, le bras gauche secoué de crispations contre son flanc. L'autre, un inconnu courtaud et trapu, lui tournant le dos dans une posture tellement étrange. Puis elle entendit l'inconnu dire à voix basse « Tu as causé assez d'ennuis, » et sut que tout ceci était effroyablement réel. Tandis que l'étranger progressait à nouveau vers Malcolm, elle gagna discrètement le coin cuisine et décrocha un long couteau à découper d'une panoplie d'ustensiles étincelants fixés au mur par un aimant. Elle marcha vers l'étranger.

Le facteur entendit le bruit de ses talons sur le plancher. Il fit une feinte en direction de Malcolm et pivota pour faire face à cette nouvelle menace. Quand il vit une jeune fille effrayée, la main droite crispée sur le manche d'un couteau, l'inquiétude née dans sa cervelle s'évanouit. Il avança rapidement dans sa direction, en mimant des feintes d'esquive, tandis qu'elle reculait en tremblant. Il la laissa reculer jusqu'à ce qu'elle fût près de buter dans le sofa puis lança son assaut. Projetée en avant, sa jambe gauche décrivit un arc de cercle et le couteau vola de la main inexperte de la jeune fille. D'un revers vicieux de la main gauche, il lui fendit la peau juste sous la pommette gauche. Wendy s'effondra, assommée, sur le canapé.

Mais le facteur avait négligé un précepte important des situations à plusieurs assaillants. Un homme attaqué par deux adversaires, ou plus, doit demeurer mobile et porter rapidement des contre-attaques sur tous les fronts. S'il se consacre à un seul de ses adversaires, avant que tous les autres aient été neutralisés, il se découvre. Le facteur aurait dû revenir assaillir Malcolm immédiatement après avoir frappé Wendy. Au lieu de cela, il voulut lui asséner le coup de grâce.

A peine le facteur venait-il d'asséner son revers à Wendy que Malcolm avait la mitraillette en main. Il ne put se servir de son bras gauche que pour maintenir le chargeur mais il mit l'arme en joue au moment où le facteur levait la main gauche pour porter à Wendy le coup afatal.

— Non !

Le facteur pivota vers son autre adversaire au moment même où Malcolm appuyait sur la gâchette. Le bruit de toux ne cessa que lorsque la poitrine du facteur se fut constellée d'un pointillé rouge et jaillissant. Le corps bascula par-dessus le canapé et s'affala sur le sol avec un bruit sourd.

Malcolm releva Wendy. Son œil gauche commençait à noircir et un filet de sang coulait sur sa joue. Elle sanglotait doucement : « Mon Dieu, mon Dieu, mon Dieu. »

Il fallut cinq minutes à Malcolm pour la calmer. Avec précaution, il jeta un coup d'œil à travers la persienne. Nul n'était en vue. De l'autre côté de la rue, la camionnette jaune semblait vide. Il laissa Wendy en bas avec la mitraillette dans les bras, pointée sur la porte. Il lui dit de tirer sur quiconque se montrerait. Il s'habilla rapidement et mit dans une des valises de la jeune fille son argent, ses vêtements et les objets que Wendy lui avait achetés. Quand il redescendit, elle était plus lucide. Il l'envoya à l'étage faire ses bagages. En son absence, il fouilla le cadavre et ne trouva rien. Quand elle revint, dix minutes plus tard, elle s'était débarbouillée et portait une valise.

Malcolm respira à fond et ouvrit la porte. Il avait roulé une veste par-dessus son pistolet. Il n'avait pu se résoudre à emporter la mitraillette. Il était conscient de ce qu'il avait fait. Personne ne lui tira dessus. Il gagna la voiture. Toujours pas de coups de feu. Personne en vue. Il fit un signe à Wendy. Elle courut à la voiture en portant leurs valises. Ils montèrent et, calmement, il démarra.

Powell était fatigué. Deux autres inspecteurs de la police de Washington et lui ratissaient un terrain déjà exploré, arpentant les rues du quartier où Malcolm avait été vu en dernier. Ils interrogeaient les gens dans chaque immeuble. Ils ne tombaient que sur des gens qui avaient déjà été questionnés.

Powell était adossé à un réverbère, essayant de trouver une idée nouvelle, quand il vit un de ses hommes se hâter vers lui.

Cet homme était l'inspecteur Andrew Walsh, de la Police judiciaire. Il agrippa le bras de Powell pour recouvrer son calme.

— Je crois que j'ai trouvé quelque chose, chef. Walsh prit

un temps pour reprendre son souffle. Vous savez que nous avons trouvé une foule de gens qui avaient déjà été interrogés. Eh bien, je suis tombé sur un type, un gardien de parking, qui a dit au flic qui le questionnait quelque chose qui ne figure pas dans les rapports officiels.

— Quoi, bon dieu ?

Toute la fatigue de Powell s'était évanouie.

— Il a reconnu Malcolm d'après un portrait que lui a montré ce flic. Mieux que ça, il lui a dit avoir vu Malcolm monter en voiture avec une fille. Voici le nom et l'adresse de cette dernière.

— Quand tout ceci s'est-il passé ?

Powell commençait à avoir froid dans le dos et à se sentir mal à l'aise.

— Hier après-midi.

— Allons-y !

Powell courut à la voiture, un policier haletant sur les talons.

Ils roulaient depuis deux minutes à peine quand la sonnerie du radio-téléphone retentit. Powell décrocha.

— Oui.

— Chef, l'équipe qui enquête auprès du Corps médical signale qu'un docteur Robert Knudsen reconnaît dans le signalement de Condor l'homme qu'il a soigné hier pour angine infectieuse. Il l'a examiné dans l'appartement d'une certaine Wendy Ross, R o...

Powell coupa aussitôt son interlocuteur.

— Nous sommes déjà en route vers son appartement. J'ordonne à toutes les unités de converger vers les lieux, mais de ne pas s'approcher de la maison avant que je ne sois sur place. Dites-leur de s'y rendre aussi rapidement mais aussi discrètement que possible. A présent, passez-moi le patron.

Il s'écoula une minute entière avant que Powell n'entendît la voix frêle dans le récepteur.

— Oui, Kevin, qu'est-ce qui se passe ?

— Nous sommes en route vers la planque de Malcolm. Les autres sont tombés dessus à peu près en même temps. Je vous donnerai les détails ultérieurement. Il y a autre chose : un individu, nanti de cartes officielles, était sur la piste de Malcolm et n'a pas fait rapport de ce qu'il a découvert.

Il y eut un long silence, puis le vieux monsieur dit :

— Cela pourrait expliquer bien des choses, mon garçon. Bien des choses. Soyez très prudent. J'espère que vous arriverez à temps.

La communication était terminée. Powell raccrocha et se résigna à la conclusion que, vraisemblablement, il n'était déjà plus temps.

Dix minutes plus tard, Powell et trois inspecteurs sonnaient à la porte de Wendy. Ils attendirent une minute, puis le plus costaud enfonça la porte. Cinq minutes après, Powell relatait ses découvertes au vieux monsieur.

— L'inconnu n'est pas identifiable sur place. Son uniforme de postier est un déguisement. La mitraillette Sten à silencieux a certainement été utilisée au cours de l'opération sur la Société. De la façon dont je vois les choses, lui et quelqu'un d'autre, sans doute notre ami Malcolm, se sont battus. Malcolm lui a pris son arme. Je suis sûr qu'elle était au facteur, parce que la sacoche était aménagée pour son transport. Notre ami semble toujours bénéficier d'une veine formidable. Nous avons trouvé une photo de la fille et nous avons le numéro de sa voiture. Que faut-il faire ?

— Que la police lance contre elle un avis de recherche pour... meurtre. Cela dépistera l'ami qui nous intercepte et utilise nos accréditifs. Dans l'immédiat, je veux savoir qui est le mort et je veux le savoir vite. Expédiez sa photo et ses empreintes à toutes les agences, avec un ordre d'urgence prioritaire. N'ajoutez aucune autre information. Lancez vos équipes à la recherche de Malcolm et de la fille. Et puis, je crois que nous devrons attendre.

Une conduite intérieure noire passa devant le domicile, au moment où Powell et les autres regagnaient leurs voitures. Le chauffeur était de haute taille et d'une maigreur effrayante. Son passager, un homme aux yeux perçants cachés par des lunettes de soleil, lui fit signe de continuer sa route. Personne ne remarqua leur passage.

Malcolm tourna dans Alexandrie jusqu'à ce qu'il trouve

un petit marchand de voitures d'occasion bien fourni. Il alla se garer deux pâtés de maisons plus loin et envoya Wendy traiter l'affaire. Dix minutes plus tard, après avoir juré qu'elle était Mme A. Edgerton pour l'immatriculation et avoir payé un supplément de cent dollars comptant, elle sortait au volant d'une Dodge ayant à peine roulé. Malcolm la suivit jusque dans un parc. Ils transportèrent les bagages et démontèrent les plaques d'immatriculation de la Corvair. Puis ils montèrent dans la Dodge et s'éloignèrent lentement.

Malcolm roula pendant cinq heures. Wendy n'ouvrit pas la bouche de tout le voyage. Quand ils s'arrêtèrent au motel de Parisburg en Virginie, Malcolm les inscrivit sous le nom de M. et Mme Evans. Il gara la voiture à l'arrière du motel, « pour qu'elle ne soit pas salie par la poussière de la route ». La vieille dame qui tenait le motel haussa à peine les épaules et retourna à sa télé. Elle en avait vu d'autres.

Wendy s'allongea sur le lit et demeura complètement immobile. Malcolm se déshabilla lentement. Il prit ses médicaments et retira ses verres de contact, avant de venir s'asseoir près d'elle.

— Pourquoi ne te déshabilles-tu pas et n'essaies-tu pas de dormir, chérie ?

Elle se tourna et le regarda lentement.

— C'est bien vrai, n'est-ce pas ? Elle avait un ton de constat placide. Tout est bien vrai. Et tu as tué cet homme. Tu as tué un homme chez moi.

— C'était lui ou nous. Tu le sais bien. Tu as essayé, toi aussi.

Elle se détourna.

— Je sais.

Elle se leva et se déshabilla lentement. Elle éteignit la lumière et se mit au lit. A la différence des autres fois, elle ne se pelotonna pas contre lui. Quand Malcolm, une heure plus tard, s'endormit, il était certain qu'elle veillait encore.

Là où il y a beaucoup de lumière, il y a aussi beaucoup d'ombre.

Goethe.

— Ah, Kevin, nous progressons à ce qu'il semble.

Les paroles claires et vives du vieil homme ne dissipèrent pas la torpeur qui embrumait l'esprit de Powell. Son corps fourbu le faisait souffrir mais cette gêne était minime. Il avait été entraîné pour des efforts beaucoup plus contraignants que la privation d'un moment de détente. Mais pendant ses trois mois de repos et de récupération, il s'était habitué à dormir tard le dimanche matin. De plus, la déception qu'il éprouvait dans cette opération l'irritait. Jusqu'ici, il n'avait agi que *post facto*. Ses deux ans d'entraînement et ses dix ans d'expérience étaient utilisés à faire des courses et à réunir des renseignements, ce qui était à la portée de n'importe quel flic — et des flics, il y en avait. Powell ne partageait pas l'optimisme du vieil homme.

— Comment, monsieur ? Tout vexé qu'il était, Powell ne s'en exprimait pas moins avec respect. A-t-on trouvé trace de Condor et de la fille ?

— Non, pas encore. Bien qu'il eût veillé très tard dans la nuit, le vieil homme rayonnait. Il est bien possible qu'elle ait acheté cette voiture, mais on ne l'a pas vue. Non, nous progressons dans un autre rayon. Nous avons identifié le mort.

L'esprit de Powell se dégourdissait. Le vieil homme poursuivit :

— Il s'agit de Calvin Lloyd, sergent, dans le corps d'armée des Marines des U.S.A. En 1959, il a quitté assez soudainement son détachement qui stationnait en Corée et qui instruisait une unité de Marines sud-coréenne. Il a probablement été mêlé à l'assassinat d'une tenancière de Séoul et d'une de ses prostituées. La Marine n'a jamais trouvé la preuve directe, mais à ce qu'il semble, cette femme et lui étaient associés dans un trafic de drogue et ont eu des démêlés au sujet des ristournes. Sitôt après la découverte des corps, Lloyd s'est éclipsé. Les Marines ne l'ont pas recherché avec beaucoup d'acharnement. En 1961, un rapport est parvenu au Service des Renseignements de la Marine, selon lequel il serait mort subitement à Tokyo. Puis en 1963, il se trouva identifié parmi les nombreux trafiquants d'armes au Laos. Toujours à titre de conseiller technique. A l'époque, il était en cheville avec un dénommé Vincent Dale Maronick. Nous reparlerons plus tard de Maronick. Lloyd n'a plus été vu après 1965 et jusqu'à hier, on le croyait mort.

Le vieil homme s'interrompit. Powell toussota pour indiquer qu'il désirait parler. Ayant reçu un acquiescement courtois, Powell dit :

— Bon, voilà au moins une chose bonne à savoir. Mais à quoi cela peut-il nous servir ?

Le vieil homme leva l'index gauche.

— Patience, mon ami, patience. Il faut avancer lentement et voir quelles routes se croisent et où.

« L'autopsie de Weatherby ne nous a livré qu'une probabilité, mais, me basant sur ce qui s'est passé, je suis enclin à y attacher une très grande importance. Il est possible que la mort soit due à une bulle d'air dans le sang, mais les pathologistes n'en conviennent pas. Ses médecins affirment que la cause est externe — et qu'ils n'y sont pour rien. J'ai tendance à me ranger à leur avis. Il est dommage pour nous que nous n'ayons pas Weatherby sous la main pour l'interroger, mais il y a quelqu'un pour qui cet accident est providentiel. Beaucoup trop providentiel, si vous voulez mon avis.

« J'ai la conviction que Weatherby était un agent double. Pour le compte de qui, je n'en ai aucune idée. Les fiches qui disparaissent, notre ami, muni de plaques de police, qui enquête en ville juste avant nous, la façon dont s'est faite la destruction de la Société : tout sent l'information venue de l'intérieur. De l'élimination de Weatherby, je conclus qu'il peut avoir été la « fuite » qui devenait trop dangereuse pour quelqu'un. Et puis il y a ce canardage derrière les chapiteaux. Nous avons déjà examiné cela auparavant, mais quelque chose de nouveau m'est apparu.

« J'ai fait examiner les corps de Weatherby et de Moineau IV par notre expert en balistique. Celui qui a tiré sur Weatherby lui a presque arraché la jambe avec sa balle. Selon l'expert, il s'agissait au moins d'un Magnum 357 avec de gros projectiles en plomb tendre. Moineau IV, lui, n'avait qu'un petit trou bien net dans la gorge. Notre expert ne croit pas qu'ils aient été touchés avec la même arme. Cela, ajouté au fait que Weatherby, lui, n'a pas été tué, donne à l'affaire une allure louche. Je pense que notre Malcolm, pour je ne sais quelle raison, a tiré sur Weatherby et s'est enfui. Weatherby était blessé mais pas au point de ne pouvoir éliminer un témoin : Moineau IV. Toutefois, ce n'est pas le plus intéressant.

« De 1958 à la fin de 1969, Weatherby a été cantonné en Asie, principalement à Hong-Kong, avec des missions en Corée, au Japon, à Formose, au Laos, en Thaïlande, au Cambodge et au Vietnam. Là, il a gravi les échelons d'agent spécial à chef de poste. Vous remarquerez qu'il s'y trouvait à la même époque que notre facteur défunt. A présent, une légère digression des plus intéressantes : que savez-vous du dénommé Maronick ? »

Powell plissa le front.

— C'était, je crois, une sorte d'agent spécial. Un mercenaire, si je me souviens bien.

Le vieil homme sourit, enchanté.

— Très bien. Cependant, je ne sais pas si nous interprétons de la même façon le mot « spécial ». Si vous entendez : extrêmement compétent, sérieux, attentif et d'une efficacité absolue, là, vous tombez juste. Si vous voulez dire : dévoué, loyal envers qui l'emploie, là, vous vous fourvoyez complètement. Vincent Maronick a été pendant des années — ou est, si je ne me trompe — le meilleur agent travaillant au coup par coup, peut-être le meilleur du siècle dans sa spécialité.

Pour une opération ponctuelle requérant un exécutant rusé, impitoyable et circonspect, on ne pouvait s'en procurer de meilleur avec de l'argent. L'homme était d'une habileté phénoménale. Nous ne savons pas au juste où s'est fait son entraînement, bien que de toute évidence il fût américain. Ses capacités individuelles n'étaient ni exceptionnelles ni irremplaçables. Il existait et il existe encore de meilleurs comploteurs, de meilleurs tireurs, de meilleurs pilotes, de meilleurs saboteurs, meilleurs dans des domaines particuliers. Mais cet homme avait une ténacité, une dureté qui portaient ses possibilités bien au-delà de celles de ses concurrents. C'est un homme très dangereux, un de ces hommes dont je pourrais avoir peur.

« Au début des années 60, il refit surface, au service des Français, principalement en Algérie, mais, notez-le bien, s'occupant d'intérêts qu'ils avaient encore dans le Sud-Est asiatique. A partir de 1963, il attira l'attention des gens de notre spécialité. Il travailla à différentes reprises pour la Grande-Bretagne, la Chine Communiste, l'Italie, l'Afrique du Sud, le Congo, le Canada et fut même chargé de deux missions par la C.I.A. Il tint également un bureau de consultation pour l'I.R.A. et l'O.A.S. (qui l'avait employé en France auparavant). Il a toujours donné entière satisfaction et jamais aucun échec de sa part n'a été signalé. Il se faisait payer très cher. On prétendait qu'il cherchait à faire un gros coup. On ne sait pas au juste pourquoi il était dans cette branche, mais je suppose que c'est le seul domaine où il trouvait à utiliser pleinement ses capacités et à en récolter les fruits d'une manière quasi légale. Maintenant voici ce qui nous intéresse :

« En 1964, Maronick a été employé à Formose par le généralissime-président. Ostensiblement, on l'employait pour des actions dirigées contre la Chine Populaire, mais, à cette époque, le généralissime avait des difficultés avec les indigènes de Formose et quelques dissidents dans son propre groupement de réfugiés. On employa Maronick au maintien de l'ordre. Washington n'appréciait guère certains procédés de la politique intérieure du gouvernement nationaliste. Le généralissime avait la main trop lourde. On craignait que ses méthodes ne fussent un peu trop brutales pour notre standing. Le généralissime ne voulut pas se ranger à nos raisons et se mit à suivre allégrement son petit bonhomme de chemin. Au même moment, nous avons commencé à prendre ombrage des activités de Maronick. Il était trop efficace, trop actif. Jamais on ne l'avait employé contre nous, mais ce n'était plus qu'une question de temps. L'Agence décida de liquider Maronick, à titre de mesure préventive et aussi pour donner un avertissement subtil au généralissime. Maintenant, qui croyez-vous qui était chef de poste à Formose quand est arrivé l'ordre d'en finir avec Maronick ? »

Powell en était sûr à quatre-vingt-dix pour cent. Aussi lança-t-il :

— Weatherby ?

— Exactement. C'est à Weatherby qu'est échue la tâche d'opérer cette liquidation. Il rendit compte de sa réussite, mais il y avait un hic. Méthode employée : une bombe au domicile de Maronick. Elle avait tué l'agent chinois chargé de déposer la bombe ainsi que Maronick. Naturellement, l'explosion avait pulvérisé les deux corps. Weatherby, témoin oculaire de l'attentat, certifia sa réussite.

« Remontons un peu en arrière. Qui croyez-vous que Maronick ait utilisé, sur au moins cinq missions différentes ? »

Il n'y avait pas à chercher bien loin. Powell répondit :

— Notre défunt facteur, le sergent Calvin Lloyd.

— Vous tombez juste une fois de plus. Autre point significatif. Nous n'avons jamais eu grand-chose sur Maronick : des photos floues, quelques descriptions, esquisses, un truc ou l'autre. Devinez quel est le dossier qui manque ? Le vieil homme ne laissa même pas à Powell le temps de répondre à sa question. Celui de Maronick. Nous n'avons rien non plus sur le sergent Lloyd. C'est joli, non ?

— En effet. Powell avait encore des doutes. Qu'est-ce qui vous amène à penser que Maronick a trempé là-dedans ?

Le vieil homme sourit.

— Je me fie à mon intuition. Je me creusais la cervelle pour trouver qui pourrait et voudrait monter un coup comme celui dont la Société a été victime. En constatant qu'avec une douzaine d'autres le dossier de Maronick était manquant, ma curiosité a grandi. Le Service d'Espionnage de la Marine nous a envoyé les éléments d'identification de Lloyd et sa fiche spécifiait qu'il avait travaillé avec Maronick. Mes bobines se sont mises à tourner. Quand j'ai vu qu'un lien existait entre eux et Weatherby, le rouge s'est allumé et tout s'est enclenché. J'ai passé une matinée très profitable à faire carburer mon vieux cerveau, au lieu de jeter du grain aux pigeons et de respirer l'arôme des cerisiers en fleurs.

La pièce redevint silencieuse, tandis que le vieil homme se reposait un instant et que Powell réfléchissait.

— Vous pensez donc que Maronick mène on ne sait quelle action contre nous et que Weatherby travaillait pour lui comme agent double depuis quelque temps déjà.

— Non, fit doucement le vieil homme. Ce n'est pas ce que je crois.

La réponse du vieil homme surprit Powell. Il se borna à regarder et à attendre, pendant que la douce voix continuait.

— La première question et la plus essentielle, c'est « pourquoi ? » Etant donné tout ce qui est arrivé et la façon dont cela s'est passé, je ne crois pas qu'on puisse aborder cette question de façon positive et logique. Si on ne peut pas l'aborder logiquement, c'est que nous partons d'une supposition erronée, en pensant que l'agression est dirigée contre la C.I.A. Alors la question suivante serait « qui ? » Qui paierait — et paierait cher j'imagine — pour que Maronick, avec la complicité de Weatherby et l'assistance d'au moins Lloyd, nous frappe de la façon dont nous avons été frappés ? Même si l'on voulait tenir compte de ce billet vengeur soi-disant tchèque, je ne vois personne. Cela nous ramène à la question « pourquoi ? » et nous tournons en rond.

« Non, je crois que la question qui se pose et à laquelle il faut répondre, ce n'est ni « qui ? », ni « pourquoi ? » mais « quoi ? » Qu'est-ce qui se manigance ? Si nous parvenons à répondre à cette question, les réponses aux autres questions viendront d'elles-mêmes. A l'heure actuelle, nous n'avons qu'une clef pour ouvrir ce «quoi?», c'est notre jeune Malcolm.»

Powell soupira avec lassitude.

— Nous voilà revenus au point de départ : chercher notre Condor perdu.

— Pas exactement au point de départ. J'ai mis quelques-uns de mes hommes à retourner un terrain très étendu en Asie pour retrouver ce qui peut lier Weatherby, Maronick et Lloyd. Ils peuvent ne rien trouver, qui sait ? Nous avons aussi une meilleure idée de l'adversaire et j'ai mis des gens sur la trace de Maronick.

— Avec tout l'appareil à votre disposition, nous devrions être en mesure de lever l'un des deux, Malcolm ou Maronick. Ça sonne comme un duo de vaudeville, vous ne trouvez-pas ?

— Nous n'utiliserons pas cet appareil, Kevin. Nous ne nous servirons que de nos moyens à nous et de ce que nous pourrons nous procurer auprès de la police du district.

Powell en eut le souffle coupé.

— Bon dieu ! Vous avez peut-être cinquante hommes sous vos ordres, et les flics ne peuvent pas vous apporter grand-chose. L'Agence a mis des centaines de types sur cette affaire, sans compter le Bureau, le N.S.A. et le reste. Si vous leur communiquiez ce que vous venez de me révéler, ils pourraient...

Sans hausser le ton mais fermement, le vieil homme le coupa :

— Kevin. Réfléchissez un instant. Weatherby était un agent double, à l'Agence, avec vraisemblablement quelque piétaille à un échelon subalterne. C'est lui, à ce que nous supposons, qui se procurait les fausses identités et les plaques de police, faisait passer les renseignements désirés et se rendait même en personne sur le terrain. Mais si c'était lui, l'agent double, qui donc a pris des dispositions pour le faire exécuter, qui donc connaissait le secret étroitement gardé de l'endroit où il était soigné, et qui en savait suffisamment sur le système de sécurité pour permettre à l'exécuteur (probablement l'efficace Maronick) d'y entrer et d'en ressortir ? (Il attendit que le flambeau de la compréhension éclairât le visage de Powell.) Vous voyez ! Il y a un autre agent double. Et, si mon intuition est juste, un agent double très haut placé. Nous ne pouvons pas risquer d'autres fuites. Et puisque nous ne pouvons nous fier à personne, il va falloir faire tout nous-mêmes.

Powell fronça les sourcils et hésita, avant de demander :

— Puis-je faire une suggestion, monsieur ?

Le vieil homme accentua volontairement sa surprise.

— Mais bien sûr, vous le pouvez, mon cher ami. On attend de vous que vous utilisiez les ressources de votre esprit sagace, même si vous craignez d'offenser vos supérieurs.

Powell sourit légèrement.

— Nous savons, ou tout au moins nous supposons qu'il y a une fuite, une fuite à un très haut niveau. Tout en nous efforçant de trouver Malcolm, nous pouvons centrer nos efforts sur le colmatage de cette voie d'eau à un échelon supérieur. Nous pouvons imaginer dans quel groupe cette fuite se trouve et porter nos efforts sur lui. Notre surveillance devrait les intercepter, même s'ils n'ont pas laissé de trace jusqu'à maintenant. La pression exercée sur eux les obligera à faire quelque chose. Pour le moins, ils entreront en contact avec Maronick.

— Kevin, répondit à mi-voix le vieil homme, votre logique est saine, mais les conditions mêmes de vos suppositions faussent votre plan. Vous supposez que nous pouvons identifier le groupe qui est à l'origine de la fuite. L'ennui, avec notre communauté du Renseignement — l'une des raisons en fait de l'existence de ma section —, c'est que les organismes sont si grands et si complexes qu'un groupe de ce genre peut comprendre facilement plus de cinquante personnes, dépasser probablement la centaine, aller même jusqu'à deux cents. Et cela, si la fuite est voulue par eux. Les bavures peuvent se produire à partir de la secrétaire de ce personnage haut placé ; son garçon de bureau peut être un agent double.

« Et même si la fuite n'est pas de nature subalterne, due à une secrétaire ou à un technicien, une telle surveillance serait monumentale, pour ne pas dire impossible. Vous avez déjà souligné mes restrictions logistiques. Pour accomplir ce que vous me suggérez là, nous aurions besoin de l'autorisation et de l'aide de quelques-unes des personnes qui se trouvent dans le groupe des suspects. Ça ne marcherait en aucun cas.

« Nous rencontrerions une difficulté de plus, inhérente au groupe d'individus à qui nous aurions affaire. Ce sont des professionnels de l'espionnage. Ne croyez-vous pas qu'ils seraient capables de passer à travers nos filets ? Et même s'ils ne le faisaient pas, chacun de ces services a son système de sécurité qui lui est propre et qu'il nous faudrait éviter. Par exemple, les officiers de renseignements de l'armée de l'air sont soumis à des contrôles imprévisibles sur les lieux, en plus de la surveillance et des écoutes téléphoniques dont ils font l'objet. Il s'agit à la fois de vérifier l'honnêteté de ces officiers et de voir si quelqu'un d'autre les surveille. Il nous faudrait échapper aux équipes de sécurité *et aussi* à un suspect défiant et expérimenté.

« Nous nous trouvons là, dit le vieil homme en joignant le bout de ses doigts, devant un problème d'espionnage classique. Nous avons, probablement, l'organisation de renseignement et de sécurité la plus grande du monde, une entité vouée, par une ironie du sort, à stopper le flux de l'information pour l'empêcher de sortir du pays et à faire entrer dans le pays le plus d'information possible. Nous pouvons à la minute mettre cent hommes qualifiés à enquêter sur un fait aussi minuscule qu'une étiquette de bagage déplacée. Nous pouvons lancer cette même meute sur un petit groupe déterminé et savoir, au bout de quelques jours, tout ce qu'a fait ce groupe. Nous pouvons exercer une pression phénoménale sur n'importe quel point. La difficulté dans cette affaire, c'est que nous ne pouvons trouver le point. Nous savons qu'il y a une voie d'eau dans notre machine, mais à moins de pouvoir isoler l'aire dans laquelle elle se trouve, nous ne pouvons démonter la machine pour essayer de localiser la fuite. Une telle activité serait presque certainement vaine et sans doute dangereuse ; maladroite en tout cas. De plus, à la minute où nous commencerons à enquêter, la partie adverse comprendra que nous savons qu'il y a une fuite.

« La clef de cette énigme, c'est Malcolm. Il doit pouvoir localiser la fuite pour nous ou tout au moins nous fournir des indications précieuses. S'il le fait, ou s'il nous arrive de découvrir des liens entre l'opération menée par Maronick et quelqu'un dans le monde du Renseignement, nous foncerons naturellement sur le suspect. Mais tant que nous n'avons pas un chaînon solide, une telle opération serait un gâchis, un coup pour rien. Je n'aime pas ce genre de travail. Il est inefficace et le plus souvent improductif. »

Powell dissimula sa gêne par un ton cérémonieux.

— Excusez-moi, monsieur. J'ai dû parler sans réfléchir.

Le vieil homme secoua la tête.

— Au contraire, mon garçon, s'exclama-t-il, vous avez réfléchi et vous avez très bien fait. C'est une chose à laquelle nous n'avons jamais pu entraîner notre personnel, chose que ces organismes monumentaux ont tendance à décourager. Il vaut beaucoup mieux que vous réfléchissiez et proposiez des plans conçus, dirons-nous, un peu hâtivement et sans beaucoup d'imagination, lorsque vous êtes au bureau, que de vous comporter dans la rue comme un robot aux réactions aveugles. Cela cause des ennuis à tout le monde et on se retrouve mort, au bout du compte. Continuez de penser, Kevin, mais réfléchissez plus à fond.

— La marche à suivre est donc encore de trouver Malcolm et de le ramener sain et sauf, c'est bien votre avis ?

Le vieil homme sourit.

— Pas exactement. J'ai bien réfléchi à notre ami Malcolm. Il est notre clef. Quels qu'ils soient, ils veulent sa mort et ils la veulent âprement. Si nous pouvons le conserver en vie et si nous pouvons le faire devenir assez gênant pour qu'ils centrent leurs activités sur sa liquidation, alors, nous aurons fait de Condor une clef. Maronick et Compagnie, en se concentrant sur Malcolm, forgeront eux-mêmes leur serrure. Avec de la prudence et un peu de chance, nous pourrons ouvrir la serrure avec la clef. Oh, il nous reste encore à mettre la main sur notre Condor, et rapidement, avant que quelqu'un d'autre ne le trouve. Je prends des dispositions complémentaires pour nous aider dans ce sens. Mais quand nous l'aurons trouvé, nous le mettrons au courant.

« Allez prendre un peu de repos, ensuite je vous ferai porter par mon assistant mes instructions et tous les renseignements nouveaux que nous aurons reçus. »

En se levant pour prendre congé, Powell demanda :

— Pouvez-vous me donner quelque chose sur Maronick ?

Le vieil homme répondit :

— Je me fais adresser par un de mes amis des Services Secrets français une copie de son dossier chez eux. Il me l'envoie de Paris par avion. Il n'arrivera que demain. J'aurais pu l'obtenir plus rapidement, mais je ne voulais pas alerter la partie adverse. Outre ce que vous savez déjà, je puis vous dire que Maronick, d'après tous les signalements, a des traits extrêmement caractéristiques.

Malcolm commença à s'éveiller au moment même où Powell quittait le bureau du vieil homme. Pendant quelques instants, il resta immobile, se remémorant tout ce qui s'était passé. Puis une voix douce mumura à son oreille :

— Tu es réveillé ?

Malcolm roula sur le côté. Wendy, appuyée sur un coude, le regardait timidement. Il sentait que sa gorge allait mieux et il répondit d'une voix presque normale :

— Bonjour.

Wendy rougit.

— Je... je suis navrée pour hier. Je veux dire... pour avoir été peu compréhensive avec toi. C'est que je n'avais jamais vu ni fait une chose pareille et le choc...

Malcolm la fit taire avec un baiser.

— C'est normal. C'était assez horrible.

— Qu'allons-nous faire à présent ? demanda-t-elle.

— Je me le demande. Je crois que nous devrions nous terrer ici pendant au moins un jour ou deux. » Il parcourut des yeux la chambre pauvrement meublée. « Ça risque d'être un peu monotone. »

— Pas si monotone que ça !

Elle lui donna un baiser léger, puis recommença. Elle attira sa bouche contre son petit sein.

Une demi-heure plus tard, ils n'avaient encore pris aucune décision.

— Nous ne pouvons pas faire ça *tout le temps* ! dit enfin Malcolm.

Wendy fit la grimace et dit :

— Pourquoi pas ? » Mais, se résignant, elle soupira : « Je sais ce que nous pouvons faire. »

Elle se pencha à moitié hors du lit pour prendre quelque chose par terre. Malcolm lui saisit le bras pour l'empêcher de tomber.

— Qu'est-ce que tu fabriques ? lui dit-il.

— Je cherche mon sac. J'ai apporté des livres que nous pouvons lire à haute voix. Tu m'as dit que tu aimais Yeats. » Elle fouilla sous le lit. « Malcolm, je n'arrive pas à les trouver. Ils ne sont pas là. Il y a bien tout dans mon sac mais les livres manquent. Je dois les avoir... Ouille ! »

Wendy se rejeta en arrière sur le lit et se libéra de la poigne de Malcolm qui, tout à coup, la serrait violemment.

— Malcolm, qu'est-ce qui te prend ? Tu me fais mal...

— Les livres. Les livres manquants. » Malcolm se tourna pour la regarder. « Il y a quelque chose d'important autour de ces livres qui manquent ! L'explication est là. »

Wendy n'y comprenait rien.

— Mais ce sont des livres de poésie. On peut se les procurer n'importe où. J'ai sans doute tout simplement oublié de les apporter.

— Il ne s'agit pas de ces livres-là, mais des livres de la Société, ceux dont Heidegger a constaté l'absence.

Il lui raconta l'histoire.

Malcolm sentait croître son excitation.

— Si je peux leur parler des livres qui manquent, ça leur donnera un point de départ. La raison pour laquelle ma section a été anéantie doit avoir un rapport avec ces livres. Ils ont découvert que Heidegger contrôlait les registres des années précédentes. Ils ont été obligés d'abattre tout le monde, pour le cas où quelqu'un d'autre aurait été mis au courant. Si je peux communiquer ces renseignements à l'Agence, peut-être seront-ils en mesure de reconstituer le puzzle. J'aurai au moins autre chose à leur raconter que mon histoire sur la façon dont les gens se font canarder partout où je me présente. Elle n'est pas de leur goût.

— Mais comment vas-tu prévenir l'Agence ? Rappelle-toi ce qui s'est passé la dernière fois que tu l'as appelée.

Malcolm fronça les sourcils.

— Oui, je vois ce que tu veux dire. Mais la dernière fois ils avaient organisé une rencontre. Même si nos ennemis sont dans l'Agence, même s'ils savent ce qui se passe sur la ligne d'Urgence, je crois quand même que nous avons une chance. Avec tout ce qui s'est passé, j'évalue à une douzaine le nombre des malfrats. Il en reste au moins quelques-uns de propres qui transmettront ce que je leur téléphonerai. La sonnerie se fera entendre au bon endroit quelque part. Il s'interrompit un instant. Viens. Il faut que nous retournions à Washington.

— Hé ! Minute ! La main tendue de Wendy ne réussit pas à attraper le bras de Malcolm qui bondit hors du lit pour se précipiter dans la salle de bains. « Pourquoi devons-nous retourner là-bas ? »

La douche se mit à couler.

— Il le faut. Un appel interurbain peut être dépisté en quelques secondes ; pour l'automatique ça prend plus de temps. La précipitation du jet sur les parois de métal augmenta.

— Mais nous pourrions bien nous faire tuer.

— Quoi ?

Wendy hurla mais en s'efforçant de rester aussi calme que possible.

— Je dis que nous pourrions nous faire tuer.

— On peut se faire tuer ici aussi. Viens me frotter le dos. J'en ferai autant pour toi.

— Je suis très déçu, Maronick.

Ces paroles vives coupèrent l'atmosphère tendue entre les deux hommes. Le monsieur distingué qui parlait sut qu'il venait de commettre une gaffe en voyant l'expression des yeux de son compagnon.

— Mon nom est Levine, rappelez-vous-le. Je vous conseille de ne pas faire d'autre impair.

Le ton sec de l'homme au visage caractéristique sapa la

confiance de l'autre, mais le gentleman distingué s'efforça de cacher son trouble.

— Ma gaffe est minime, en comparaison de toutes celles qui ont été faites, déclara-t-il.

L'homme qui voulait qu'on l'appelât Levine ne parut pas s'émouvoir, mais un observateur doué de finesse et qui l'aurait connu depuis un certain temps aurait pu déceler chez lui une certaine rougeur due à la colère rentrée et à la gêne.

— L'opération n'est pas encore terminée. Il y a eu des ratages mais pas d'insuccès. Si elle avait échoué, nous ne serions ici ni l'un ni l'autre.

A l'appui de ses dires, il désigna la foule qui se pressait autour d'eux. Le dimanche est un jour où les touristes viennent nombreux au Capitole.

Le monsieur distingué reprenait de l'assurance. Il murmura d'un ton ferme :

— N'empêche qu'il y a eu des ratés. Comme vous le faites remarquer si judicieusement, l'opération n'est pas encore terminée. Je n'ai pas besoin de vous rappeler que tout devrait être fini depuis trois jours. Trois jours. Beaucoup de choses peuvent se passer en trois jours. Malgré tous nos coups d'épée dans l'eau, nous avons eu beaucoup de chance. Plus l'opération se prolonge, plus nous risquons de voir certaines choses remonter à la surface. Nous savons tous les deux combien cela pourrait être désastreux.

— Nous faisons tout notre possible. Nous devons attendre une autre occasion.

— Et si cette autre occasion ne se présente pas ? Qu'est-ce qu'on fera, mon bon ami, qu'est-ce qu'on fera ?

Le dénommé Levine se tourna et le regarda. Une fois encore, l'autre se sentit mal à l'aise. Levine déclara :

— Alors nous forcerons la chance.

— Enfin, j'espère fermement qu'il n'y aura pas d'autres... échecs.

— Je n'en prévois pas.

— Bon. Je vous tiendrai informé de tout ce qui se passera à l'Agence. J'espère que vous agirez de même avec moi. Je crois qu'il n'y a rien d'autre à dire.

— Il y a encore une chose, fit Levine calmement. Des opérations comme celles-ci provoquent parfois des chocs en retour. Et qui, d'habitude, atteignent un personnel bien particulier. Ces chocs en retour sont voulus par ceux qui mènent l'opération, comme c'est votre cas et prennent une forme définitive. Le terme commun pour qualifier ces agissements, c'est la duperie, le *double-cross.* Si j'étais mon patron, je prendrais bien garde d'éviter ce genre d'impair. Vous êtes bien d'accord ?

La pâleur qui se répandit sur les traits de son interlocuteur démontra à Levine qu'il n'y avait rien à craindre. Levine sourit poliment, salua d'un signe de tête et s'éloigna. Le monsieur distingué le regarda s'en aller à grands pas le long des corridors de marbre et disparaître. Le monsieur frissonna légèrement, puis rentra chez lui pour un repas dominical avec sa femme, son fils et une nouvelle bru pétulante.

Tandis que Malcolm et Wendy s'habillaient et que les deux hommes quittaient les abords du Capitole, un camion du service du téléphone venait s'arrêter devant les portes de Langley. Après avoir fait viser leur ordre de mission, les occupants se dirigèrent vers le centre de communications. Les deux réparateurs étaient flanqués d'un officier spécial de la Sûreté, prêté par une autre branche. La plupart des hommes de l'Agence étant occupés à chercher un dénommé Condor. L'officier de la Sûreté avait des papiers d'identité au nom de Major David Burros. Il s'appelait en réalité Kevin Powell, et les deux réparateurs du téléphone qui, en apparence, étaient venus vérifier le tracé du dispositif téléphonique étaient des experts en électronique de l'Armée de l'Air, des techniciens compétents, arrivés par avion du Colorado moins de quatre heures auparavant. Une fois leur mission accomplie, ils seraient mis en quarantaine pour trois semaines. Ils vérifièrent le tracé, mais en plus, ils installèrent un nouveau dispositif et procédèrent à des corrections compliquées dans le montage des fils. Les deux hommes s'efforçaient de garder leur sang-froid, tandis qu'ils travaillaient à partir de diagrammes portant le sceau « ultra-confidentiel ». Un quart d'heure après s'être mis au travail, ils prévinrent électroniquement un troisième homme dans une cabine téléphonique située à huit kilomètres de là. Celui-ci appela un numéro, laissa sonner jusqu'à ce qu'il reçoive un autre signal, puis raccrocha et s'éloigna rapidement. L'un des experts fit un signe de tête à Powell. Les trois hommes ramassèrent leurs outils et partirent aussi discrètement qu'ils étaient venus.

Une heure plus tard, Powell était assis dans une petite pièce au centre de Washington, gardée par deux policiers en civil. Trois de ses collaborateurs étaient affalés sur des sièges disséminés dans la pièce. Il y avait deux chaises au bureau qu'occupait Powell, mais l'une était vide. Powell parlait dans l'un des deux appareils téléphoniques posés sur le bureau.

— Nous sommes reliés et prêts à fonctionner, monsieur. Nous avons fait l'essai du système deux fois. Ça a marché à notre bout et l'homme que nous avions dans le bureau d'Urgence nous a dit que tout passait clairement là-bas. A partir de maintenant, tous les appels faits au numéro d'Urgence de Condor sonneront ici. Si c'est notre gars, nous l'aurons. Sinon... Enfin, espérons que nous pourrons camoufler ça. Naturellement, nous pouvons aussi annuler la dérivation et ne faire qu'écouter.

La voix du vieil homme exprimait son contentement.

— Excellent, mon ami, excellent. Comment va tout le reste ?

— Marian dit que les arrangements avec le *Post* seront faits dans l'heure. J'espère que vous vous rendez compte à quel point nous nous mouillons dans cette affaire. Le jour où il nous faudra dire à l'Agence que nous nous sommes branchés sur leur ligne d'Urgence, ils n'apprécieront pas du tout.

Le vieil homme gloussa.

— Ne vous en faites pas pour ça, Kevin. Ce n'est pas la première fois que nous allons au feu et nous y retournerons encore. D'ailleurs eux aussi se grillent les fesses et si nous éloignons d'eux le foyer d'incendie, ils ne s'en porteront pas plus mal. Pas de nouvelles du champ des opérations ?

— Négatif. Personne n'a eu vent de Malcolm ni de la fille. Quand notre gars se planque, il se planque.

— Oui, je pensais exactement comme vous. Je ne crois

pas que la partie adverse ait réussi à l'avoir. Je suis plutôt fier de ses efforts jusqu'à maintenant. Avez-vous mon emploi du temps ?

— Oui, monsieur. Nous vous appellerons s'il arrive quoi que ce soit.

Le vieil homme raccrocha et Powell s'installa pour ce qu'il espérait devoir être une courte attente.

Wendy et Malcolm arrivèrent à Washington alors que le soleil se couchait. Malcolm roula vers le centre de la ville. Il parqua la voiture au Mémorial Lincoln, prit leurs bagages et ferma soigneusement le véhicule. Ils étaient passés par Bethesda, dans le Maryland. A Bethesda, ils avaient acheté quelques objets de toilette, des vêtements, une perruque blonde, un soutien-gorge fortement rembourré pour Wendy et qui transformait sa silhouette « déguisement de farces et attrapes », un rouleau de fil électrique, quelques outils et une boîte de cartouches pour le Magnum 357.

Malcolm prit un risque soigneusement calculé. Utilisant le principe d'Edgar Poe dans *La Lettre volée* selon lequel la cachette la plus voyante est souvent la plus sûre, lui et Wendy montèrent dans un autocar pour le Capitole. Ils louèrent une chambre pour touristes dans East Capitol Street, à moins de cinq cents mètres du siège de la Société. La propriétaire de l'hôtel très modeste fit bon accueil aux jeunes mariés de l'Ohio. Presque tous ses clients étaient rentrés chez eux, après un week-end de visite aux monuments. Elle ne s'appesantit pas sur le fait qu'ils ne portaient pas d'alliances et que la fille avait un œil au beurre noir. Pour rendre crédible leur image d'amoureux en voyage de noces (ce que Malcolm lui avait confié dans un chuchotement) le jeune couple se retira tôt.

A la guerre, ce ne sont pas les hommes, mais l'homme qui compte.

Napoléon.

La sonnerie stridente du téléphone rouge tira brutalement Powell d'un somme bien mérité. Il s'empara du récepteur avant la seconde sonnerie. Les autres agents qui se trouvaient dans la pièce entreprirent de dépister et d'enregistrer l'appel. Braqué à l'écoute, Powell ne faisait qu'entrevoir leurs silhouettes qui s'agitaient dans la lumière matinale. Il prit une profonde aspiration et dit :

— 493-7282.

La voix étouffée, à l'autre bout de la ligne, semblait venir de très loin.

— Ici Condor.

Powell engagea le dialogue de la façon qu'il avait soigneusement préparée.

— Je vous entends, Condor. Ecoutez bien. L'Agence a été trahie. Nous ne savons pas par qui mais nous sommes persuadés que ce n'est pas par vous. Powell coupa court à un début de protestation. Ne perdez pas votre temps à clamer votre innocence. Nous l'acceptons comme une hypothèse de travail. Maintenant, pourquoi avez-vous tiré sur Weatherby, quand ils sont venus vous chercher ?

La voix, à l'autre bout du fil, n'en revenait pas.

— Moineau IV ne vous l'a donc pas dit ? Ce type — Weatherby — il a tiré sur moi ! Je l'avais vu garé devant la Société, mardi matin, dans la même voiture.

— Moineau IV est mort, abattu dans le passage.

— Ce n'est pas moi.

— Nous le savons. Nous pensons que c'est Weatherby. Nous sommes au courant, pour vous et la fille. Powell s'interrompit pour donner plus de poids à ce qu'il allait dire. Nous avons suivi votre trace jusqu'à son appartement à elle et nous avons découvert le cadavre. C'est vous qui l'avez tué ?

— De justesse. Il a failli nous avoir.

— Etes-vous blessé ?

— Non, seulement assez fourbu et vaseux.

— Vous êtes en lieu sûr.

— Pour l'instant, oui.

Powell, tendu, se pencha en avant et posa la question cruciale et d'une importance primordiale :

— Avez-vous une idée de la raison pour laquelle vos collègues ont été supprimés ?

— Oui.

La main moite de Powell se cramponnait au récepteur tandis que Malcolm racontait succinctement la disparition des caisses de livres et les irrégularités dans les stocks découvertes par Heidegger.

Lorsque Malcolm s'interrompit, Powell lui demanda d'une voix intriguée :

— Mais vous n'avez aucune idée de ce que tout cela signifie ?

— Absolument pas. Maintenant qu'allez-vous faire pour nous mettre à l'abri ?

Powell plongea :

— Eh bien, cela soulève une petite difficulté. Non seulement parce que nous ne voulons pas que vous soyez repéré et abattu, mais parce que ce n'est pas à l'Agence que vous parlez en ce moment.

A dix kilomètres de là, dans la cabine téléphonique d'une auberge de jeunesse, le ventre de Malcolm se mit à gargouiller. Sans lui laisser le temps de répliquer, Powell reprit la parole.

— Je ne peux pas entrer dans les détails. Vous devez simplement nous faire confiance. A cause des infiltrations dans l'Agence, probablement à un niveau très élevé, nous avons pris la relève. Nous nous sommes branchés sur la ligne d'Urgence et nous avons intercepté votre appel. Ne raccrochez pas, je vous en prie. Nous devons coincer l'agent double qui est à l'Agence et découvrir la raison véritable de tout cela. Vous êtes notre seul recours et nous avons besoin de votre aide. Vous n'avez pas le choix.

— Eh merde, mon vieux ! Vous êtes peut-être un autre service de la Sûreté, mais peut-être tout autre chose aussi. Et même si vous êtes ce que vous dites, pourquoi est-ce que je vous aiderais ? Ce n'est pas mon boulot ! J'ai été engagé pour *lire* ces histoires-là, pas pour les vivre.

— Pesez le pour et le contre. La voix de Powell était de glace. Votre chance ne durera pas toujours et, en dehors de nous-mêmes, vous êtes recherché par des gens prêts à tout et très forts. Vous venez de le dire, ce n'est pas votre spécialité. Quelqu'un vous mettra la main dessus. Sans nous, il ne vous reste qu'à espérer que celui qui vous trouvera soit le bon. Si c'est nous, tout va bien. Sinon, vous savez en tout cas ce que nous attendons de vous. C'est mieux que de courir à l'aveuglette. Chaque fois que nos instructions ne vous plairont pas, ne les suivez pas. Notre argument définitif, c'est que nous contrôlons votre lien avec l'agence, nous avons même un homme à nous sur la ligne officielle. (C'était faux.) Le seul autre moyen que vous ayez de rentrer au bercail est de vous présenter en personne à Langley. Cela vous tente-t-il d'y venir froidement ?

Powell s'interrompit et n'obtint pas de réponse.

— Je ne le crois pas. Ce que nous vous demandons ne représente pas tellement de dangers. Nous voulons que, tout en vous dissimulant, vous agitiez les barreaux de la cage de la partie adverse. Maintenant, voici ce que nous avons appris jusqu'ici.

Powell exposa de façon concise à Malcolm tous les renseignements qu'il détenait. A la fin de l'exposé, l'homme chargé du dépistage de l'appel s'approcha de Powell en haussant les épaules. Surpris, celui-ci poursuivit :

— A présent, nous pouvons communiquer avec vous d'une autre manière. Savez-vous vous servir d'un code basé sur un livre ?

— Oui. Annoncez la couleur.

— Bien. Vous allez acheter un exemplaire broché de *La Mystique féminine.* Il n'y en a qu'une édition. Vous saisissez ? Bon. Quand nous voudrons communiquer avec vous, nous passerons une annonce dans le *Post.* Elle sera placée au début des annonces et débutera par : « Aujourd'hui les numéros gagnants du Sweepstake de la Chance sont... » Suivra une série de numéros séparés par des traits d'union. Le premier chiffre de chaque série correspond au numéro de la page, le second au numéro de la ligne, le troisième à l'ordre du mot. Quand nous ne trouverons pas dans le livre le mot correspondant, nous utiliserons un simple code alphabétique numéral. A est le 1, B : le 2, etc. Lorsque nous coderons un mot de cette façon, les numéros partiront du chiffre treize. Le *Post* nous transmettra toutes les communications émanant de vous, si vous vous les adressez à vous-même, aux bons soins de Sweepstake de la Chance, Boîte 1, *Washington Post.* Compris ?

— Très bien. Pouvons-nous encore utiliser la ligne d'Urgence ?

— Mieux vaut ne pas le faire. C'est trop aléatoire.

Powell voyait l'homme chargé de détecter la provenance de l'appel chuchoter d'un ton furieux dans un autre téléphone, à l'autre extrémité de la pièce.

— Avez-vous besoin de quoi que ce soit ?

— Non. Maintenant, que voulez-vous que je fasse ?

— Pouvez-vous rappeler l'Agence sur votre appareil ?

— Pour une conversation aussi longue que celle-ci ?

— Absolument pas. Ça ne vous prendra qu'une minute tout au plus.

— Je peux, mais j'aime mieux me servir d'un autre téléphone. Pas avant une demi-heure.

— O.K. Rappelez et nous laisserons passer la communication. Maintenant voilà ce que nous voulons que vous disiez.

Powell le lui indiqua dans les grandes lignes. Quand les deux hommes se furent mis d'accord, Powell ajouta :

— Encore une chose. Choisissez une localité où vous n'aurez pas à vous rendre.

Malcolm réfléchit un instant.

— Chevy Chase.

— Parfait, fit Kevin. D'ici une heure on vous signalera dans le secteur de Chevy Chase. Trente secondes plus tard, un flic sera blessé en poursuivant un homme et une femme correspondant à votre signalement. Ainsi, toutes les forces se concentreront sur Chevy Chase, ce qui vous permettra de vous déplacer à loisir. Ce laps de temps est-il suffisant ?

— Laissez-moi une heure de plus. D'accord ?

— D'accord.

— S'il vous plaît, qui est la personne à laquelle je m'adresse ?

— Appelez-moi Rogers, Malcolm.

On raccrocha. Powell venait à peine de reposer le combiné, lorsque l'homme chargé du dépistage courut vers lui.

— Savez-vous ce qu'il a fait, ce petit salaud ? Le savez-vous ?

Powell ne put que secouer la tête.

— Eh bien, je vais vous le dire, le salaud ! Il a fait tout le tour de la ville en connectant ensemble les cabines publiques, puis il a appelé et les a toutes utilisées de façon à ce qu'un seul appel soit transmis par les lignes, mais chaque téléphone renvoyait l'appel à la tête de ligne. Nous avons dépisté la première cabine en un peu plus d'une minute. Notre équipe de surveillance a filé là-bas pour se casser le nez sur une cabine vide portant un écriteau de fantaisie « Hors service » et son raccord de fils. Elle a rappelé pour qu'on en détecte un autre. Nous sommes allés à trois endroits déjà et il y a probablement encore d'autres cabines en dérangement à visiter. Le salaud !

Powell se renversa en arrière et rit de bon cœur, pour la première fois depuis des jours. Lorsqu'il trouva dans le dossier de Malcolm qu'il avait passé des vacances à travailler pour la Compagnie du Téléphone, il riait encore.

Malcolm quitta la cabine téléphonique et se rendit au parking. Dans un camion-grue de location, immatriculé en Floride, une blonde à la poitrine opulente, portant des lunettes de soleil, l'attendait en mâchant du chewing-gum. Malcolm resta dans l'ombre un instant pour inspecter le terrain. Puis il traversa et monta dans le camion. Il fit signe à Wendy que tout allait bien, puis se mit à rire.

— Hé, dit-elle, qu'y a-t-il ? Qu'est-ce qu'il y a de si drôle... ?

— Toi, dans tes transformations.

— Dis donc, la perruque et les rembourrages, c'est toi qui en as eu l'idée. Je n'y peux rien si...

Il agita la main pour la faire taire.

— C'est un détail, fit-il en riant encore. Si seulement tu pouvais te voir.

— Eh ben, si je suis bien, tant mieux ! Elle s'enfonça sur le siège. Qu'est-ce qu'ils t'ont dit ?

Malcolm le lui raconta, tandis qu'ils roulaient vers une autre cabine téléphonique.

Mitchell était resté de service auprès du téléphone d'Urgence depuis le premier appel. Son lit de camp était ouvert à quelques pas de son bureau. Il n'était pas sorti depuis le mardi. Il n'avait pas pris de douche. Quand il allait aux toilettes, le téléphone le suivait. La direction de la Section d'Urgence débattait quant à savoir s'il convenait de lui administrer des piqûres de stimulants. Le Directeur responsable avait décidé de maintenir Mitchell auprès du téléphone car il était plus apte que quiconque à reconnaître Malcolm, au cas où il appellerait encore. Mitchell se sentait fatigué, mais il était encore très résistant. A cette minute, il était aussi endurant que déterminé. Il portait son café de dix heures à ses lèvres lorsque le téléphone sonna. Il fit gicler quelques gouttes de café en décrochant.

— 493-7282.

— Ici Condor.

— Où diable...

— Taisez-vous. Je sais que vous cherchez la provenance de mon appel, je n'ai donc pas beaucoup de temps. Je ne peux pas rester longtemps sur votre ligne parce que les secrets de l'Agence sont trahis.

— Quoi !

— Il y a là-bas un agent double. L'homme du passage — Malcolm faillit se tromper et dit : Weatherby — a tiré sur moi le premier. Je l'ai reconnu : Je l'avais vu parqué devant la Société mardi matin. L'autre homme du passage doit vous l'avoir dit... Malcolm ralentit le tempo, s'attendant à une interruption. Il l'eut.

— Moineau IV a été tué. Vous...

— Ce n'est pas moi. Pourquoi l'aurais-je fait ? Alors vous ne le saviez pas.

— Nous ne savons qu'une chose : c'est que nous avons deux morts de plus que lorsque vous avez appelé pour la première fois.

— J'aurais pu tuer l'homme qui m'a tiré dessus, mais je n'ai pas tué Maronick.

— Qui ?

— Maronick, l'homme appelé Moineau IV.

— Ce n'était pas le nom de Moineau IV.

— Pas son nom ? L'homme sur qui j'ai tiré a crié Maronick une fois à terre. Je me suis imaginé que Maronick, c'était Moineau IV. (Doucement, pensa Malcolm, n'en fais pas trop !) Peu importe à présent, j'ai peu de temps. Celui qui nous a descendus voulait effacer la trace de quelque chose que savait Heidegger. Il nous a raconté à tous qu'il avait découvert des anomalies dans les écritures. Il a dit qu'il allait en informer quelqu'un à Langley. C'est ce qui me fait supposer qu'il y a un agent double. Heidegger a dû frapper à la mauvaise porte.

« Ecoutez, j'ai trébuché sur quelque chose. Je crois avoir la possibilité d'en découvrir davantage. J'ai trouvé quelque chose chez Heidegger. J'irai peut-être plus loin, si vous m'en laissez le temps. Je sais que vous me recherchez. J'ai peur de rentrer ou de me laisser prendre par vous. Pouvez-vous cesser de me talonner jusqu'à ce que j'aie l'explication de ce que je sais et qui fait que nos adversaires veulent ma mort ? »

Mitchell demeura silencieux un instant. L'homme du dépistage lui faisait des signes frénétiques de retenir Malcolm au téléphone.

— Je ne sais si nous pouvons. Peut-être si...

— Je n'ai plus le temps. Je vous rappellerai quand j'en saurai davantage.

Il avait raccroché. Mitchell regarda l'homme du dépistage et obtint en réponse un signe de tête négatif.

— Comment diable concevez-vous cela ?

Mitchell regarda l'homme qui parlait, un gardien de la Sûreté. L'homme au fauteuil roulant secoua la tête.

— Je ne le conçois pas et ce n'est pas mon boulot. Mon boulot est ailleurs. Mitchell fit des yeux le tour de la pièce. Son regard tomba sur un vieux de la vieille. Jason, est-ce que le nom de Maronick vous dit quelque chose ?

L'homme impassible nommé Jason hocha lentement la tête.

— Il déclenche une sonnette d'alarme. Oui.

— Chez moi aussi, dit Mitchell. Il saisit un téléphone. Les Archives ? Je veux tout ce que vous avez sur les gens qui s'appellent Maronick, peu importe l'orthographe du nom. Il nous le faudra en plusieurs exemplaires avant la fin de la journée, alors sautez !

Il coupa la communication et composa le numéro du Directeur responsable.

Tandis que Mitchell attendait le Directeur au bout du fil, Powell contactait le vieil homme.

— Notre gars a fait du bon travail, monsieur.

— Je suis ravi de l'apprendre, Kevin. Ravi.

D'un ton plus léger, Powell reprit :

— Avec juste ce qu'il faut de vérité et quelques petits tuyaux pour la faire avancer, je vais lancer l'Agence dans la bonne direction, mais il faut espérer qu'ils ne nous rattraperont pas. Si vous avez vu juste, notre ami Maronick doit commencer à se sentir nerveux. Ils sont sans doute plus acharnés que jamais à trouver notre Condor. Y a-t-il du nouveau, de votre côté ?

— Rien. Nos gens fouillent dans le passé de tous les intéressés. A part nous, la police est seule à savoir qu'il y a un rapport entre Malcolm et l'homme tué dans l'appartement de la fille. Officiellement, elle classe la disparition de cette dernière et le meurtre comme un crime de droit commun. Au moment voulu, ce petit éclaircissement tombera entre les mains appropriées. Il semble bien que tout marche exactement suivant notre plan. Maintenant, je crois qu'il va me falloir assister à une réunion empoisonnante, avec quelqu'un qui fait la gueule, et pousser doucement nos amis dans la bonne direction. Je crois que le mieux est que vous restiez sur la ligne. Ne l'interceptez pas, mais tenez-vous prêt à entrer en action à tout moment.

— Bien, monsieur.

Powell raccrocha. Il regarda ses hommes qui grimaçaient et reprit sa tasse de café.

— Dieu me damne si je comprends quelque chose à cette histoire sans queue ni tête !

Le Capitaine de vaisseau frappa de la main sur la table pour appuyer sa déclaration, puis se cala dans son fauteuil spacieux et rembourré. On étouffait dans la pièce. De larges taches de sueur s'étalaient sous les bras du capitaine. Le conditionnement d'air choisissait bien son moment pour tomber en panne, songeait-il.

Le Directeur responsable dit patiemment :

— Personne parmi nous ne sait ce que cela signifie vraiment, capitaine. Il toussota, avant de reprendre le fil de son discours interrompu : Comme je le disais, mis à part les renseignements que nous avons reçus de Condor — tout précis qu'ils soient —, nous ne sommes guère plus avancés que lors de notre dernière réunion.

Le Capitaine s'inclina vers la droite et mit mal à l'aise l'homme du F.B.I., assis à côté de lui, en lui murmurant :

— Alors pourquoi, bon dieu, nous avoir convoqués à cette fichue réunion aujourd'hui ?

Le regard foudroyant que lui lança le Directeur responsable n'eut aucun effet sur le Capitaine.

Le responsable poursuivit :

— Comme vous le savez, le dossier de Maronick a disparu des archives. Nous avons demandé copie de leurs fiches aux Anglais. Un avion à réaction de l'Air Force doit nous les apporter dans trois heures. J'aimerais avoir vos observations, messieurs, si vous en avez.

L'homme du F.B.I. prit aussitôt la parole.

— Condor a en partie raison. Il y a un traître à la C.I.A.

Son collègue de l'Agence releva le propos, d'un air agacé.

— Vous devriez mettre cela au passé et dire : « il y avait ». De toute évidence, Weatherby était l'agent double. Il a dû se servir de la Société comme d'une boîte à lettres et Heidegger est tombé dessus. Quand Weatherby s'en est aperçu, il lui a fallu anéantir la Société. Condor était un filin lâché qu'il fallait nouer. Weatherby l'a raté. Il y a probablement d'autres membres de cette cellule qui courent ici et là, mais je pense que le destin a rebouché la voie d'eau. Comme je vois les choses, ce qui importe pour nous à présent, c'est de récupérer Condor. Avec les renseignements qu'il pourra nous donner, nous essaierons d'épingler les quelques hommes restants, y compris ce Maronick, s'il existe, et découvrir quels sont ceux de nos secrets qui ont été percés.

Le Directeur responsable fit des yeux le tour de la pièce. Alors qu'il était sur le point de clore la réunion, le vieil homme arrêta son regard.

— Puis-je faire une observation ou deux ?

— Bien sûr, monsieur. Vos commentaires sont toujours les bienvenus.

Les assistants se redressèrent légèrement pour prêter à ses propos une plus vive attention. Le Capitaine se redressa aussi, bien que visiblement par pure politesse agacée.

Avant de parler, le vieil homme regarda avec curiosité le représentant du F.B.I.

— Je dois dire que je ne suis pas d'accord avec notre collègue du Bureau. Son explication est très plausible mais il y a deux ou trois choses qui ne cadrent pas et que je juge troublantes. Si Weatherby était le principal agent, comment et pourquoi serait-il mort ? Je sais que la question est sujette à débat, du moins tant que les gens du laboratoire n'auront pas terminé les expériences approfondies entreprises par eux. Je suis persuadé qu'ils découvriront qu'il a été tué. Cet ordre n'a pu venir que d'une haute sphère. De plus, j'ai l'impression que l'explication « boîte à lettres pour agent-double » laisse à désirer. Je n'en ai pas la certitude. Une intuition seulement. Je crois que nous devrions continuer comme nous avons commencé, avec deux légères modifications.

« Primo, fouillons le passé des gens en question et voyons s'il n'y a pas des endroits où leurs routes se croisent. Qui sait ce que nous pouvons découvrir ?

« Secundo, donnons à Condor une chance d'échapper. Il peut encore découvrir quelque chose. Cessons de le pourchasser et concentrons-nous sur les enquêtes dans le passé. J'ai encore d'autres idées que je vais appliquer avant notre prochaine réunion, si vous n'y voyez pas d'inconvénient. Je n'ai rien d'autre à dire pour l'instant. Merci, monsieur le délégué. »

— Merci, monsieur. Il va de soi, messieurs, que la décision finale est entre les mains du directeur de l'Agence. Cependant, on m'a assuré que nos recommandations seront prises en considération. Jusqu'à ce qu'une décision définitive ait été prise, nous continuerons comme nous avons commencé.

Le vieil homme regarda le Directeur responsable et dit :

— Soyez certain que nous vous apporterons toute notre aide.

Aussitôt l'homme du F.B.I. aboya :

— Nous aussi, nous ferons de même. Il regarda d'un air féroce le vieil homme et reçut en retour un sourire ingénu.

— Messieurs, dit le Directeur responsable, je tiens à vous remercier tous pour l'aide que vous nous avez apportée, autant maintenant que dans le passé. Merci à tous d'être venus. Vous serez informés de la date de la prochaine réunion. Bonne journée.

Tandis que l'assistance se levait, l'homme du F.B.I. regarda le vieil homme. Il rencontra deux yeux brillants empreints de curiosité. Il quitta rapidement la pièce. En se dirigeant vers la porte, le Capitaine de vaisseau se tourna pour murmurer à un représentant du Département du Trésor :

— Bon dieu, pourquoi ai-je quitté la navigation ! Ces réunions ennuyeuses m'épuisent.

Il renifla, mit sa casquette d'officier de marine et sortit à grands pas. Le Directeur responsable partit le dernier.

— Je n'aime pas ça du tout.

Les deux hommes déambulaient le long des jardins du Capitole, à côté d'une foule mouvante. Le rush touristique de l'après-midi commençait à ralentir et quelques collaborateurs du gouvernement quittaient de bonne heure leur travail. Le lundi est un jour creux pour le Congrès.

— Je n'aime pas ça non plus, mon cher, mais nous devons affronter la situation telle qu'elle se présente et non telle que nous voudrions la voir.

Le plus âgé des deux examina son compagnon aux traits caractéristiques et poursuivit :

— Cependant, nous en savons du moins un peu plus qu'avant. Par exemple, à quel point il est important pour nous que Condor meure.

— A mon avis, il ne devrait pas être le seul à disparaître.

Le vent, pourtant rare à Washington, porta la voix de l'homme au visage caractéristique à son compagnon qui frissonna, en dépit de la chaleur.

— Que voulez-vous dire ?

Une nuance de dégoût perçait dans la réponse.

— Que cela n'a aucun sens. Weatherby était un agent dur, expérimenté. Tout blessé qu'il était, il a pris soin de tuer Moineau IV. Croyez-vous vraiment qu'un homme de cette trempe aurait crié tout haut mon nom ? Même s'il avait fait un faux pas, pourquoi m'aurait-il appelé au secours ? Tout cela n'a aucun sens.

— Dites-moi donc ce que cela signifie ?

— Je ne puis l'affirmer. Mais il se passe quelque chose que nous ignorons. Que moi j'ignore, en tout cas.

Un tremblement nerveux marqua la voix de l'homme distingué.

— Vous n'allez pas prétendre que je ne vous communique pas tout ce que je sais.

Le vent remplit un long silence. Lentement Levine-Maronick répondit :

— Je ne sais pas. J'en doute mais cette possibilité existe. Pas la peine de protester. Je n'opte pas pour cette possibilité.

Mais je tiens à ce que vous vous rappeliez notre dernière conversation.

Les hommes avancèrent en silence pendant quelques minutes. Quittant les jardins du Capitole, ils passèrent devant l'immeuble de la Cour suprême et s'engagèrent dans East Capitol Street. Finalement, le plus âgé rompit le silence.

— Vos hommes ont-ils appris quelque chose de nouveau ?

— Rien. Nous avons écouté toutes les communications téléphoniques de la police et celles échangées entre l'Agence et le Bureau. A trois, nous ne pouvons pas couvrir tout le terrain. Je projette d'intercepter l'équipe qui ira chercher Condor pour le mettre à l'abri en lieu sûr. Pouvez-vous prendre des dispositions pour qu'on l'amène à un endroit déterminé ou tout au moins savoir ce qu'ils ont prévu à l'avance ? Cela réduira sérieusement les aléas.

Le plus âgé opina du bonnet et Maronick poursuivit :

— Une autre chose me chiffonne : c'est Lloyd. La Police ne l'a pas encore relié à l'affaire, pour autant que je sache. Les empreintes de Condor devaient foisonner dans cet endroit, pourtant la police ne les a ni relevées — ce dont je doute — ni signalées dans son rapport. Ça ne me plaît pas du tout. Ça n'est pas normal. Pouvez-vous vérifier cela en douce, sans pour autant les mettre en branle ?

L'homme plus âgé fit de nouveau un signe d'assentiment. Les deux hommes continuèrent leur balade, sous l'apparence de gens qui rentrent chez eux après le travail. Ils se trouvaient à trois pâtés de maisons du Capitole, engagés dans le quartier résidentiel. Un peu plus loin, un autobus de la ville s'arrêta au bord du trottoir pour déposer — en exhalant de la fumée de Diesel — un petit groupe de voyageurs. Au moment où le bus repartait, deux des passagers se détachèrent du groupe pour se diriger vers le Capitole.

Malcolm avait hésité à rendre le camion-grue de location. Il leur assurait un moyen de transport individuel, mais il était trop voyant. Il n'est pas courant de voir des camions-grue à Washington, surtout marqués du nom de : « Alphonso U-Haul, Miami Beach ». Le prix de la location était élevé et Malcolm voulait garder en réserve autant d'argent que possible.

Il décida que les transports publics suffiraient aux quelques déplacements qu'il avait en vue. Wendy le lui accorda sans grand enthousiasme. Elle aimait conduire le camion-grue.

L'événement se produisit alors qu'ils arrivaient presque à la hauteur des deux hommes qui avançaient à leur rencontre de l'autre côté de la chaussée. Une rafale de vent s'avéra trop forte pour l'épingle qui retenait la perruque de Wendy. La masse de cheveux blonds soulevée de sa tête fut précipitée dans la rue. La perruque roula et finit par s'immobiliser en une masse ridicule au beau milieu de la chaussée.

Mise en émoi et sous le coup de la surprise, Wendy s'écria :

— Malcolm, ma perruque ! Attrape-la ! Attrape-la !

Sa voix perçante couvrit le bruit du vent et de la faible circulation. Sur le trottoir opposé, Levine-Maronick arrêta brusquement son compagnon.

Malcolm comprit que Wendy avait commis une faute en criant son nom. Il la fit taire du geste, en passant entre les voitures garées le long du trottoir pour s'engager sur la chaussée et récupérer la coiffure. Il remarqua les deux hommes qui l'observaient de l'autre côté de la rue et s'efforça de paraître indifférent, un peu gêné pour sa femme.

Levine-Maronick avançait lentement mais sûrement, ses yeux perçants rivés sur le couple d'en face, son esprit établissant des comparaisons point par point. Il avait assez d'expérience pour surmonter le choc d'une coïncidence fantastique et se concentrer sur l'instant présent. De la main gauche il déboutonna la veste de son costume. Du coin de l'œil et inconsciemment, Malcolm le vit et l'enregistra. Mais son attention se centrait sur le tas de cheveux à ses pieds. Wendy le rejoignit au moment où il se redressait avec la perruque dans les mains.

— Oh merde, ce sacré truc est probablement foutu ! Wendy prit la masse emmêlée des mains de Malcolm. Heureusement on ne va pas loin. La prochaine fois, j'en mettrai deux...

Le compagnon de Maronick était resté trop longtemps abasourdi, debout sur le trottoir, les yeux fixés sur le couple de l'autre côté de la rue. Son regard insistant attira l'attention de Malcolm, alors que l'homme, sans y croire, articulait un mot. Malcolm n'était pas certain de ce qu'avait dit l'homme, mais il sut qu'il se passait quelque chose d'anormal. Il reporta son attention sur le compagnon de celui-ci qui venait d'émerger de derrière une voiture en stationnement et s'apprêtait à traverser la rue. Malcolm remarqua la veste ouverte, la main en attente, à plat sur le ventre.

— Cours !

Il poussa Wendy pour l'écarter de lui et plongea de l'autre côté d'une voiture de sport rangée le long du trottoir. En atterrissant sur le trottoir, Malcolm espéra se couvrir de ridicule, et passer pour un idiot.

Maronick se garda bien de traverser en courant un espace découvert, en chargeant un homme probablement armé et dissimulé derrière un écran qui le mettait à l'abri des balles. Il voulait faire partir son gibier à l'air libre. Il savait aussi qu'une partie de son gibier s'échappait et qu'il fallait l'en empêcher. Lorsque son bras eut terminé son mouvement, son corps avait adopté la position de tir classique, rigide, équilibrée. Le revolver à canon scié qu'il tenait à la main droite aboya une fois.

Wendy avait fait quatre pas en courant, lorsqu'il lui vint à l'esprit qu'elle courait sans savoir pourquoi. C'est idiot ! pensa-t-elle, mais elle ne ralentit qu'un peu. Elle passa entre deux voitures en stationnement et continua son chemin. A un mètre de l'abri d'une rangée de cars de tourisme en stationnement, elle tourna la tête pour voir par-dessus son épaule gauche où était Malcolm.

La balle à tête d'acier l'attrapa à la base du crâne. Elle fut soulevée et voltigea lentement, comme une ballerine en chiffon, tournant sur un pied minuscule.

Malcolm savait ce que signifiait ce coup de feu, mais il lui fallait encore le constater. Il tourna sa tête vers la gauche et vit la forme étrange, recroquevillée sur le trottoir à six mètres de lui. Elle était morte. Il en eut la conviction. Il avait vu trop de morts ces derniers jours pour ne pas reconnaître cette apparence. Une rigole de sang, suivant la pente de la colline, dégoulinait vers lui. La perruque restait agrippée dans sa main.

Malcolm avait sorti son arme. Il leva la tête et le revolver de Maronick claqua une fois de plus. La balle écorcha le capot de la voiture. Malcolm plongea. Maronick commença à traverser la rue en biais. Il lui restait quatre balles, il en consacra deux à tirer coup sur coup.

La colline du Capitole à Washington a deux qualités surprenantes : elle possède en même temps le plus haut taux de criminalité et la plus importante concentration d'agents de police de toute la ville. Les coups de feu de Maronick et les cris des touristes affolés firent accourir un agent de la circulation : un petit homme corpulent qui s'appelait Arthur Stebbins. Il était à cinq ans de la retraite. Il se précipita vers le théâtre d'un crime possible, persuadé qu'une brochette d'autres collègues allait le suivre à quelques secondes près. La première chose qu'il vit fut un homme qui traversait la rue, un revolver à la main. Ce fut aussi la dernière chose qu'il vit, car la balle de Maronick le frappa en pleine poitrine.

Maronick se savait en danger. Il avait espéré disposer d'une minute de plus avant l'arrivée de la police. Dans ce laps de temps, Condor aurait été abattu et lui aurait pu avoir pris le large. Mais il voyait maintenant, devant le pâté de maisons voisin, apparaître deux autres silhouettes en uniforme bleu, qui portaient la main à leur ceinturon. Maronick calcula rapidement ses chances et se retourna, cherchant une issue.

A cet instant, un ennuyeux personnage, un auxiliaire du Congrès qui rentrait chez lui, venant de l'immeuble de bureaux de Rayburn House, remontait la rue transversale, derrière Maronick. L'auxiliaire arrêta sa petite Volkswagen rouge avant de s'engager dans l'artère principale. Comme beaucoup d'automobilistes, il prêtait peu d'attention aux lieux par lesquels il passait. C'est à peine s'il comprit ce qui lui arrivait, lorsque Maronick ouvrit brusquement sa portière, le tira hors de sa voiture, lui stria le visage d'un coup de crosse et démarra à toute allure dans la coccinelle.

Le compagnon de Maronick n'avait pas bougé pendant tout l'épisode. Lorsqu'il vit Maronick s'éclipser, lui aussi prit ses jambes à son cou. Il remonta en courant East Capitol Street. A moins de quinze mètres du champ des opérations, il grimpa dans sa Mercédès-Benz noire et s'éloigna en toute hâte. Malcolm releva la tête à temps pour voir la plaque d'immatriculation de la voiture.

Malcolm regarda dans la rue en direction des agents qui s'agglutinaient autour du corps de leur camarade. L'un d'eux parla dans l'appareil radio qu'il portait à la ceinture et donna le signalement de Maronick et de la Volkswagen rouge. Il demanda du renfort et une ambulance. Malcolm eut le sentiment qu'ils ne l'avaient pas encore vu, ou que, s'ils l'avaient vu, ils le prenaient pour un passant témoin de l'assassinat d'un policier. Les badauds attroupés derrière les voitures en stationnement et le long de l'herbe bien rasée, avaient trop peur pour crier tant qu'il n'aurait pas disparu aux regards. Il s'éloigna rapidement dans la direction d'où la Volkswagen était venue. Avant de tourner au coin de la rue, il regarda en arrière la forme recroquevillée sur le trottoir. Un agent de police se penchait sur le corps immobile de Wendy. Malcolm ravala sa salive et partit. A trois maisons de là, il prit un taxi et se fit conduire dans le centre. En s'asseyant sur le siège arrière, son corps tremblait légèrement, mais il avait l'esprit en ébullition.

Pour un joueur qui veut acquérir une bonne défense, le premier pas consiste à traiter la défense dans un esprit offensif. En le faisant, vous trouvez des ressources subtiles dont les autres joueurs n'auraient pas la moindre idée. En cherchant une riposte active, il vous arrivera souvent de bouleverser des lignes d'attaque judicieuses. Et mieux, vous désarçonnerez votre adversaire.

Fred Reinfeld, *Le Traité des Echecs.*

— L'enfer est déchaîné, monsieur.

La voix de Powell reflétait son sentiment d'impuissance.

— Qu'entendez-vous par là ?

A l'autre bout du fil, le vieil homme s'astreignait à ne pas perdre un mot de ce qu'on lui disait.

— On a tiré sur la fille, près du Capitole. Deux témoins ont reconnu l'agresseur, quand on leur a mis sous les yeux une vieille photo de Maronick. Ils ont aussi identifié comme Malcolm le compagnon de la fille qui a pris la fuite. Pour autant que je sache, Malcolm n'a pas été blessé. Maronick a abattu également un agent.

— Tuer deux personnes le même jour. Maronick ne chôme pas.

— Je n'ai pas dit qu'elle était morte, monsieur.

Après un temps d'arrêt quasiment imperceptible, la voix tendue déclara :

— Maronick ne rate jamais son coup, c'est connu. Elle est morte, n'est-ce pas ?

— Non, monsieur, bien qu'il ne l'ait loupée que de peu. A quelques millimètres près, sa cervelle en bouillie aurait aspergé le trottoir. Dans l'état actuel des choses, elle a une sérieuse blessure à la tête. Elle est maintenant à l'hôpital de l'Agence après avoir subi une petite intervention chirurgicale. Cette fois, j'ai pris toutes dispositions en vue de sa sécurité. Nous ne voulons pas voir se renouveler le cas Weatherby. Elle est sans connaissance. Les docteurs disent qu'elle restera probablement dans cet état pendant quelques jours, mais ils pensent pouvoir la sauver.

Le vieil homme demanda, d'une voix empreinte d'un intérêt passionné :

— A-t-elle pu dire quelque chose à quelqu'un, quoi que ce soit ?

— Non, monsieur, répliqua Powell désappointé. Elle n'a pas repris connaissance depuis qu'on lui a tiré dessus. J'ai placé deux hommes à moi dans sa chambre pour non seulement contrôler tous les visiteurs mais guetter son réveil.

« Nous avons une autre difficulté. La police est en furie. Ils veulent lancer aux trousses de Maronick tout ce qu'ils ont de disponible. Un flic mort et une fille blessée sur la colline du Capitole leur importent plus que notre chasse à l'espion. J'ai pu les retenir, mais je crains que ce ne soit pas pour longtemps. S'ils commencent à nouer ensemble les bouts qu'ils ont en main, l'Agence est tenue de les mettre au courant. Que dois-je faire ?

Après une seconde de réflexion, le vieil homme dit :

— Laissez-les agir ! Donnez-leur un rapport légèrement édulcoré de tout ce que nous savons, afin de les mettre sur la voie. Dites-leur de prendre Maronick en chasse avec tout ce qu'ils pourront rassembler et qu'ils peuvent compter sur toute l'aide voulue. Le seul point sur lequel nous devons insister, c'est d'être les premiers à pouvoir l'interroger, sitôt qu'ils l'auront arrêté. Insistez là-dessus et dites que je peux obtenir un mandat en bonne et due forme, à l'appui de notre exigence. Dites-leur de mettre aussi la main sur Malcolm. Est-ce qu'il apparaît que Maronick les attendait ?

— Pas vraiment. Nous avons trouvé le meublé où logeaient Malcolm et la fille. Je crois que Maronick se trouvait dans le coin et qu'il est tombé sur eux par hasard. Sans la police, il aurait probablement descendu Condor. Il y a autre chose. Un témoin affirme que Maronick n'était pas seul. Il n'a pas bien vu le comparse, mais il prétend que celui-ci était plus âgé que Maronick. Il a disparu, d'ailleurs.

— D'autres témoins ont-ils confirmé la chose ?

— Non, mais je suis enclin à croire ce témoignage. Cet autre est probablement le principal agent double que nous recherchons. La colline est un excellent lieu de rendez-vous. Ce qui expliquerait que Maronick soit tombé sur Malcolm et la fille.

— Oui. Eh bien, envoyez-moi tout ce que vous pouvez sur l'ami de Maronick. Le témoin peut-il fournir un signalement, donner un numéro de plaque de voiture, quelque chose ?

— Non, rien de précis. Peut-être, si nous avons de la chance, la fille pourra-t-elle nous aider sur ce point, à condition qu'elle revienne à elle bientôt.

— Oui, fit doucement le vieil homme, ce serait une chance.

— Avez-vous des instructions ?

Le vieil homme demeura silencieux quelques instants et dit :

— Passez une annonce — ou plutôt faites passer deux annonces dans le *Post*. Où qu'il soit, notre gars attend de nos nouvelles. Mais il n'est probablement pas très organisé, alors il vaut mieux mettre une simple annonce non codée sur la même page que l'annonce codée. Dites-lui de nous contacter. Dans l'annonce codée, faites-lui savoir que la fille est encore en vie, que le plan primitif est abandonné et que nous cherchons un moyen de le mettre à l'abri. Il nous faut courir le risque qu'il ait ou qu'il réussisse à dénicher un exemplaire du livre à décoder. Dans l'annonce en clair, nous ne pouvons rien dire d'important parce que nous ne savons pas qui d'autre que notre gars est susceptible de lire le *Post*.

— En voyant l'annonce en clair, nos collègues vont bien se douter que quelque chose se trame.

— C'est embêtant mais nous savions que cette difficulté risquait de se présenter. Cependant, je crois pouvoir les neutraliser.

— Que croyez-vous que va faire Malcolm ?

Il y eut un autre court silence, au bout duquel le vieil homme répliqua :

— Je ne vois pas. Tout dépend de ce qu'il sait. Je pense qu'il croit la fille morte. Il aurait réagi différemment à la situation s'il la croyait vivante. Elle peut peut-être nous servir en quelque sorte d'appât, pour Malcolm ou pour nos adversaires. Pour cela il faut voir venir.

— Y a-t-il autre chose que vous voulez me voir faire ?

— Beaucoup de choses, mais rien sur quoi je puisse vous donner des instructions. Continuez de chercher Malcolm, Maronick et compagnie, et tout ce qui pourrait expliquer ce gâchis. Et gardez le contact avec moi, Kevin. Après la réunion avec nos collègues, j'irai dîner chez mon fils.

— Je juge cela dégoûtant !

L'homme du F.B.I. se penchait sur la table pour lancer au vieil homme des regards furibonds.

— Vous avez su tout le temps que le meurtre d'Alexandrie était lié à ce cas, et vous ne nous l'avez pas dit. Et ce qui est pis, vous avez empêché la police de le consigner dans son rapport et de suivre la filière habituelle. C'est dégoûtant ! Actuellement nous pourrions avoir repéré Malcolm et la fille. Ils seraient tous deux sains et saufs. Nous talonnerions les autres, si même nous ne les avions pas déjà attrapés. On parle de vanité mesquine mais là, on reconnaît bien la Sûreté nationale. Au Bureau, nous ne nous comporterions jamais de cette façon, ça, je vous l'assure !

Le vieil homme sourit. Il ne leur avait parlé que de la relation entre Maronick et le meurtre d'Alexandrie. S'ils s'étaient aperçus qu'il en savait bien davantage, ils auraient été encore plus furieux. Il regarda les visages déconcertés. Il était temps d'arrêter les frais, ou tout au moins de s'expliquer.

— Messieurs, messieurs, je comprends votre indignation. Mais vous concevrez naturellement que j'avais une raison pour agir de la sorte.

« Comme vous le savez tous, je crois qu'il y a des fuites à l'Agence. Des fuites considérables, ajouterais-je. Je pensais, et je pense encore, que les gens qui nous trahissent pourraient contrecarrer nos efforts, sur ce terrain. Après tout, notre but final — que nous l'admettions ou non — est de colmater cette voie d'eau. A présent, comment puis-je savoir si le traître ne fait pas partie de notre groupe ? Nous ne sommes pas immunisés contre de tels dangers. »

Il s'interrompit. Les hommes assis autour de la table avaient trop d'expérience pour se regarder l'un l'autre, mais le vieil homme sentait la tension monter. Il s'en félicita.

— Or, j'ai peut-être eu tort de cacher tout cela à notre groupe, mais je ne le pense pas. Non pas que j'accuse qui que ce soit — ou qu'incidemment j'aie abandonné l'idée que le traître peut se trouver ici. Je continue de penser que j'ai agi prudemment. Je crois que cela n'aurait pas fait une grande différence, malgré ce que vient de dire notre ami du F.B.I. Je crois que nous en serions au même point. Mais ce n'est pas la question qui se pose actuellement. La question est : « Où nous dirigeons-nous en partant de ceci, et comment ? »

Le Directeur responsable fit des yeux le tour de la pièce. Personne ne paraissait désireux de répondre à la question du vieil homme. Il se sentit obligé d'intervenir. Le responsable redoutait ces moments-là. Il fallait toujours prendre garde à ne pas écraser des orteils et à ne vexer personne. Le responsable se sentait beaucoup plus à l'aise en mission à l'extérieur quand il n'avait à se préoccuper que de l'ennemi. Il toussota pour s'éclaircir la voix et utilisa une astuce qu'il espérait attendue par le vieux monsieur.

— Quelles sont vos suggestions, monsieur ?

Le vieil homme sourit. Ce bon Darnsworth. Il jouait le jeu, mais pas très bien. Bien qu'il répugnât un peu à lui faire cela, il détourna les yeux de son vieil ami et regardant droit devant lui :

— Très franchement, je suis à court de suggestions. Je ne sais que faire. Bien sûr, il faut que nous continuions de faire quelque chose.

Dans son for intérieur, le responsable tiqua. La balle était revenue dans son camp. Il regarda les hommes assis autour de la table et qui guettaient, dans l'expectative. Ils regardaient tout sauf lui, pourtant il savait qu'ils surveillaient le moindre de ses mouvements. Il s'éclaircit encore la voix, résolu à mettre fin à cette attente le plus vite possible.

— Comme je le vois, personne n'a d'idée nouvelle. Par conséquent, nous continuerons d'opérer comme nous avons commencé. (Comprenez ce que vous voulez ! pensa-t-il.) S'il n'y a rien d'autre... Il attendit un moment. ... Je suggère que nous ajournions notre réunion.

Le Responsable ramassa ses papiers, en bourra sa serviette, et quitta rapidement la pièce.

Comme les autres se levaient pour sortir, le représentant du Service d'Espionnage de l'Armée se pencha sur le Capitaine de vaisseau et lui dit :

— Je me sens comme le jeune marié puceau et myope en voyage de noces qui n'arrivait pas à bander : je ne vois pas ce qu'il faut faire et je ne peux pas le faire non plus.

Le Capitaine de la Marine regarda son interlocuteur et répondit :

— Je n'ai jamais ce genre de problème.

Malcolm changea trois fois de taxi avant de se faire conduire au nord-est de Washington. Il abandonna son taxi en bordure de la ville et se mit à marcher. Pendant son tour de ville il avait établi un plan rudimentaire et vague, mais un plan. Son premier mouvement devait d'abord consister à trouver un abri contre ceux qui le pourchassaient.

Cela ne lui prit que vingt minutes. Il la vit le repérer et se déplacer discrètement sur un chemin parallèle au sien. Elle traversa la rue au coin. En abordant le trottoir, elle « trébucha » et tomba contre lui, en pressant son corps contre le sien. Ses bras montèrent et descendirent le long de sa taille. Il sentit son corps se raidir quand ses mains passèrent sur l'arme qu'il portait à la ceinture. Elle se rejeta en arrière et une paire d'yeux noirs extraordinairement brillants se fixèrent sur son visage.

— Un flic ?

A en juger par sa voix, elle ne devait pas avoir plus de dix-huit ans. Malcolm abaissa les yeux sur ses cheveux décolorés et filandreux. Elle sentait l'échantillon de parfum du drugstore du coin.

— Non. Malcolm regarda son visage effrayé. Disons que je fais un boulot où je cours de gros risques.

Il sentait la peur sur son visage, et il sut qu'elle allait tenter sa chance.

Elle se serra une fois de plus contre lui, en poussant en avant les hanches et la poitrine.

— Qu'est-ce que vous faites dans ce coin-ci ?

Malcolm sourit.

— Je veux m'allonger. Je paierai pour cela. Maintenant, si je suis un flic, le coup n'est pas bon, puisque je t'ai attrapée. Tu marches ?

— Bien sûr, mon tigre ! fit-elle en souriant. Je comprends. A quel genre de jeu allons-nous jouer ?

Malcolm abaissa le regard sur elle. Une Italienne, songea-t-il, ou peut-être un fille d'Europe Centrale.

— Combien demandes-tu ?

La fille le regarda, évaluant les possibilités. La journée avait été creuse.

— Vingt dollars pour une passe ordinaire ?

Elle laissait entendre qu'il s'agissait davantage d'un prix à débattre que d'une exigence.

Malcolm savait qu'il lui fallait cesser rapidement de courir les rues. Il regarda la fille.

— Je ne suis pas pressé, dit-il. Je te donnerai... soixante-quinze dollars pour la nuit. J'y ajoute le petit déjeuner, si je peux coucher chez toi.

La fille était tendue. Il lui faudrait toute une journée et la moitié de la nuit pour gagner une somme pareille. Elle décida de tenter le coup. Lentement elle promena sa main dans l'entrejambes de Malcolm, dissimulant son geste aux regards en se serrant contre lui et en pressant sa poitrine contre son bras.

— Hé, mon chou, c'est pas mal... Elle perdit presque son aplomb. Tu ne pourrais pas aller jusqu'à cent ? Je t'en prie ? Tu verras comme je serai gentille avec toi.

Malcolm abaissa le regard sur elle et fit un signe d'assentiment.

— Cent dollars, pour la nuit entière chez toi. Il fouilla dans sa poche et lui tendit un billet de cinquante dollars. La moitié tout de suite, l'autre moitié après. Et ne cherche pas à me rouler, ne va pas inventer des complications.

La fille rafla l'argent.

— Pas de complications. Il n'y a que moi. Et je serai vraiment formidable, formidable. Je n'habite pas loin.

Elle passa son bras sous le sien, pour le guider.

Au premier coin de rue, elle lui chuchota :

— Une seconde, mon chou, il faut que je parle à cet homme-là.

Elle lui lâcha le bras, sans lui laisser le temps de réagir et courut au camelot aveugle qui vendait des stylo-billes au coin du trottoir. Malcolm recula contre le mur et porta la main à l'intérieur de sa veste. La crosse de l'arme était mouillée de sueur.

Malcolm vit la fille refiler à l'homme les cinquante dollars. Il lui murmura quelques mots. Elle se dirigea rapidement vers une cabine téléphonique toute proche, sans prêter attention à un garçon qui la bouscula et ricana, en voyant ses seins balloter. La cabine arborait une pancarte « En dérangement », elle y pénétra cependant. Malcolm, qui ne pouvait pas distinguer grand-chose car elle lui tournait le dos, crut cependant la voir feuilleter l'annuaire. Elle referma la porte et revint bien vite.

— Pardon de t'avoir fait attendre, mon chou. Une toute petite affaire, ça ne t'ennuie pas... ?

Lorsqu'ils arrivèrent à la hauteur de l'aveugle, Malcolm s'arrêta, écarta la fille et arracha les épaisses lunettes de soleil du visage de l'homme. Attentif à la réaction de la fille stupéfaite, il regarda le vendeur de stylos. Les deux orbites vides lui firent remettre les lunettes en place plus vite qu'il ne les avait enlevées. Il mit un billet de dix dollars dans la main de l'homme.

— Oubliez ça, mon vieux.

La voix rude repartit en riant :

— C'est oublié, monsieur.

Comme ils s'éloignaient, la fille le regarda.

— Pourquoi as-tu fait ça ?

Malcolm abaissa les yeux sur son visage triste et étonné.

— Pour vérifier, tout simplement.

Son logement se composait d'une chambre avec un coin cuisine — salle d'eau. Dès qu'ils furent entrés sans encombre, elle mit le verrou et ferma la porte à clef. Malcolm mit la chaîne de sûreté.

— Je suis à toi tout de suite, mon chou. Déshabille-toi. Je vais bien te soigner, je reviens.

Elle fonça dans le coin salle de bains fermé par des rideaux. Malcolm regarda dehors par la fenêtre. Au troisième étage, personne ne pouvait grimper par là. Bien. La porte était solide et fermée à double tour. Il ne pensait pas que quelqu'un les ait suivis ou les ait même remarqués. Il ôta lentement ses vêtements. Il posa son arme sur la petite table près du lit et la recouvrit avec un vieux Reader's Digest. Le lit craqua lorsqu'il s'allongea. Il souffrait de partout, aussi bien au physique qu'au moral, mais il savait qu'il lui fallait agir aussi normalement que possible.

Les rideaux s'écartèrent et elle vint à lui les yeux brillants. Elle portait une chemise de nuit noire à manches longues, ouverte sur le devant. Ses seins pendillaient : de longs crayons minces. Le reste de son corps était à l'avenant, maigre, presque émacié. D'une voix lointaine, elle dit :

— Pardonne-moi d'avoir été si longue, chéri. On va s'y mettre !

— Vas-y, mon petit !

Pendant quelques minutes, elle fit courir ses mains sur lui, puis dit :

— Maintenant je vais vraiment m'occuper de toi.

Elle se glissa au pied du lit et enfouit sa tête dans l'ouverture de ses cuisses. Quelques minutes plus tard, elle obtenait de son corps une réponse. Elle se leva et alla à la salle de bains. Elle revint tenant un pot de vaseline.

— Oh ! mon petit, tu as été vraiment formidable, formidable, mon chou. Elle s'étendit sur le lit, pour s'appliquer le lubrifiant. Voilà, mon chou, c'est tout prêt pour toi. Tout prêt pour quand tu voudras.

Ils restèrent longtemps couchés ainsi. Finalement Malcolm la regarda. Son corps se mouvait lentement, presque laborieusement. Elle était endormie.

Il alla à la salle de bains. Derrière la cuvette des W.C. tachée, il trouva la cuiller, le morceau de caoutchouc, les allumettes et une seringue improvisée. Le petit sac de plastique était encore plein aux trois quarts de poudre blanche. Il comprit pourquoi la chemise de nuit avait des manches longues.

Malcolm explora l'appartement. Il trouva quatre ensembles de lingerie de rechange, trois blouses, deux jupes, deux robes, un jean et un sweater rouge pour aller avec le violet qui gisait par terre. Un imperméable défraîchi était pendu dans le placard. Dans une boîte à chaussures dans la cuisine, il trouva six reçus de restitution de propriété émis lors d'un élargissement d'une prison de Washington. Il trouva aussi une carte d'étudiante, vieille de deux ans, au nom de Mary Ruth Rosen. L'adresse de sa synagogue était tapée bien nettement au dos. Il n'y avait rien à manger, sauf cinq Hersheys, un peu de noix de coco et un petit jus de pamplemousse. Il avala tout. Sous le lit, il trouva une bouteille de vin Mogen David vide. Il la plaça contre le chambranle. Selon sa théorie, si l'on ouvrait la porte, elle se briserait avec fracas. Il souleva la femme : une forme inerte. Elle bougea à peine. Il l'installa sur le fauteuil défoncé et jeta une couverture sur le ballot mou. Cela ne ferait aucune différence que son corps soit ou non dans une position confortable pour la nuit. Malcolm ôta ses verres de contact et s'étendit sur le lit. Au bout de cinq minutes, il dormait.

Dans presque toute partie d'échecs survient un moment de crise dont il faut être conscient lorsqu'il se présente. De toute façon, un joueur risque quelque chose — s'il sait ce qu'il fait, nous appelons cela un « risque calculé ».
Si vous comprenez la nature de cette crise ; si vous percevez comment vous êtes arrivé à une certaine ligne de jeu ; si vous pouvez prévoir votre risque sur une certaine ligne de jeu ; si vous pouvez prévoir la nature de votre tâche à venir et les difficultés qui l'accompagnent : tout va bien. Mais si cette conscience vous manque, alors vous perdrez la partie et le fait de vous débattre ne vous servira à rien.

Fred Reinfeld, *Le Traité des Echecs.*

Malcolm s'éveilla peu après sept heures. Il resta tranquillement couché jusqu'à huit heures, passant mentalement en revue toutes les possibilités. Finalement il décida d'aller jusqu'au bout. Il regarda le fauteuil. La fille avait glissé sur le sol, au cours de la nuit. La couverture s'était enroulée autour de sa tête et elle respirait avec difficulté.

Malcolm se leva. Il dut fournir un très gros effort pour la mettre sur le lit. Elle ne réagit pas. Dans la salle de bains, le robinet du flexible accroché à la baignoire fuyait, si bien que Malcolm prit une douche tiède. Il réussit à se raser avec un rasoir mécanique plus qu'usagé, mais ne put se résoudre à se servir de la brosse à dents de la fille.

Malcolm regarda la forme endormie, avant de quitter l'appartement. Ils étaient convenus de cent dollars et il n'en avait payé que cinquante. Il savait où allait cet argent. A regret, il posa les cinquante dollars restants sur la commode. Ce n'était pas son fric, de toute façon.

A trois immeubles de là, il trouva un snack-bar où il prit son petit déjeuner dans la bruyante compagnie de gens du quartier qui se rendaient au travail. Après avoir quitté le bar, il entra dans un drugstore. Dans l'isolement des toilettes d'une station d'essence, il se brossa les dents. Il était 9 h 38.

Il trouva une cabine téléphonique. Avec la monnaie faite à la station, il donna ses coups de téléphone. Le premier aux renseignements ; le second le mit en communication avec un petit bureau de Baltimore.

— Bureau de l'Enregistrement des véhicules à moteur. Qu'y a-t-il pour votre service ?

— Je m'appelle Winthrop Estes, d'Alexandrie, répondit Malcolm. Je me demandais si vous pourriez m'aider à remercier pour un service rendu.

— Je ne vois pas ce que vous voulez dire.

— Voyez-vous, hier, je rentrais de mon travail au volant de ma voiture et ma batterie est tombée à plat, au beau milieu de la rue. J'ai eu beau l'amorcer, il n'y avait plus assez de charge pour faire démarrer mon moteur. Au moment où j'allais abandonner et essayer de pousser ma bagnole sur le côté, l'homme que je cherche est arrivé derrière moi dans une Mercédès-Benz et, au risque d'abîmer sa carrosserie, il m'a poussé. Et il a continué sa route, sans me laisser le temps de le remercier. Je n'ai pu voir que le numéro de sa plaque minéralogique. A présent, je voudrais lui envoyer au moins un petit mot de remerciement, ou lui offrir un verre, ou autre chose. Des cas d'assistance bénévole comme celui-là, ce n'est pas tous les jours qu'on en voit dans notre coin !

L'homme à l'autre bout du fil fut touché.

— Sûrement pas. Avec sa Mercédès. Mince ! quel brave type ! Je crois deviner. Il avait une plaque du Maryland et vous voudriez que je vérifie et vous dise qui il est. C'est ça ?

— C'est ça ! Le pouvez-vous ?

— Eh bien... professionnellement non, mais pour une raison comme celle-ci, on peut essayer. Vous avez le numéro ?

— Maryland 6E-49387.

— 6E-49387. Bien. Ne quittez pas, une seconde, je vais vous trouver ça.

Malcolm entendit poser le récepteur sur une surface dure. A l'arrière-plan, des pas s'éloignèrent dans un cliquetis de machines à écrire, bruits de bureau et voix étouffées, puis revinrent.

— Monsieur Estes ? Nous l'avons. Mercédès noire conduite intérieure, appartenant à Robert T. Atwood, 42 Elwood — E.l.w.o.o.d. — Lane, à Chevy Chase. Ces gens-là ont sûrement de quoi vivre. C'est le quartier des grandes propriétés campagnardes. Il peut probablement se payer une ou deux éraflures sur sa carrosserie. C'est drôle, ces gens-là, habituellement, ne se soucient guère de ce qui arrive aux autres, si vous voyez ce que je veux dire.

— Je vois. Ecoutez, merci mille fois.

— Bah, ne me remerciez pas. Pour un cas comme celui-ci, je suis content de le faire. Mais ne l'ébruitez pas. Dites aussi à Atwood de ne pas en faire état. O.K ?

— O.K.

— Vous avez bien noté : Robert Atwood, 42 Elwood Lane, Chevy Chase.

— C'est fait. Merci encore.

Malcolm raccrocha et fourra dans sa poche le bout de papier sur lequel il avait noté l'adresse. Il y avait peu de chances pour qu'il transmît à Atwood ce message. Sans raison véritable, il retourna au snack-bar prendre un café. Pour autant qu'il pouvait s'en assurer, personne ne le remarqua.

Le *Post* du matin traînait sur le comptoir. Instinctivement il se mit à le feuilleter. C'était à la page 12. Ils n'avaient pas pris de risques. Une annonce de six centimètres en gros caractères disait : « Condor, appelez la maison. » Malcolm sourit, jetant à peine un coup d'œil à l'annonce codée du Sweepstake. S'il appelait, ils lui diraient de rentrer ou tout au moins de se terrer. Ce n'était pas dans ses intentions. Rien de ce qu'ils pouvaient dire dans le message codé ne pouvait changer ses intentions. Pas maintenant. Leurs instructions avaient perdu toute valeur, hier, sur la colline du Capitole.

Malcolm fronça les sourcils. Si son projet tournait mal, l'issue serait fort déplaisante et entraînerait immanquablement sa mort, mais cela ne l'inquiétait pas outre mesure. Ce qui l'ennuyait, c'était l'horrible gâchis et la peine perdue que signifierait l'échec. Il fallait se confier à quelqu'un, d'une façon ou d'une autre, pour le cas où... Mais il ne pouvait rien dire à quiconque avant d'avoir essayé. Il lui fallait un délai. Il devait trouver un moyen de communiquer au ralenti.

L'enseigne lumineuse de l'autre côté de la rue l'inspira. Avec ce qu'il avait sous la main, il se mit à écrire. Vingt minutes plus tard, il fourrait un court résumé des derniers cinq jours et ses projets dans trois petites enveloppes demandées à la serveuse. La serviette en papier fut adressée au F.B.I. Les papiers inutiles, tirés de son portefeuille, remplirent l'enveloppe destinée à la C.I.A. La carte du district qu'il avait prise à la station d'essence allèrent au *Post*. Ces trois petites enveloppes furent glissées dans une grande enveloppe de papier kraft, achetée au drugstore. Malcolm jeta la grande enveloppe dans une boîte postale. La levée devait avoir lieu à 14 h, et la grande enveloppe était adressée à la banque de Malcolm qui, pour on ne sait quelle raison, fermait à 14 h le mardi. Malcolm était donc assuré que sa banque ne trouverait et ne pourrait réexpédier ses lettres que le lendemain matin. Il avait devant lui un minimum de vingt-quatre heures pour agir et il avait transmis ce qu'il savait. Il se sentait libéré de toute obligation.

Tandis que Malcolm passait le reste de la journée debout, dans la queue ininterrompue des visiteurs du Capitole, les agences de sécurité et les forces de l'ordre dans toute la ville devenaient chèvres. Les détectives et les inspecteurs butaient les uns contre les autres et se cassaient le nez sur de faux rapports concernant Malcolm. Trois voitures d'inspecteurs provenant de services différents arrivèrent simultanément au même hôtel meublé pour vérifier trois informations qui, toutes, s'avérèrent fausses. Après avoir vu les inspecteurs repartir, furieux, la propriétaire de l'hôtel n'avait toujours pas compris ce qui lui arrivait. Un congressiste, dont le signalement se rapprochait vaguement de celui de Malcolm, fut arrêté et retenu par une patrouille du F.B.I. Une demi-heure plus tard, le congressiste, ayant pu prouver son identité, fut relâché de la prison fédérale. Il fut arrêté par la police de Washington et détenu de nouveau. Les reporters assaillaient de questions sur la fusillade de la Colline du Capitole les fonctionnaires déjà nerveux. Des membres du Congrès, des sénateurs et des chefs politiques de tous bords appelaient sans cesse les agences ou se téléphonaient entre eux pour obtenir des renseignements sur la « fuite » à la Sûreté, colportée par la rumeur publique. Naturellement, chacun refusait d'en parler au téléphone, mais le sénateur chef du département voulait être personnellement tenu au courant. Kevin Powell essayait une fois encore de jouer la carte du Condor et de mettre la main sur Malcolm. Tout en déambulant le long de East Capitol Street, des questions embarrassantes, troublantes, continuaient de le déranger par une si belle journée de printemps. Ni les arbres, ni les édifices ne lui fournirent de réponse et à onze heures il abandonna sa poursuite pour aller voir le directeur de la chasse.

Powell était en retard, mais lorsqu'il entra rapidement dans la pièce, il ne lut aucun reproche dans le regard que lui lança le vieil homme. En effet, la bonne humeur de ce dernier semblait inaltérable. Powell crut d'abord que cet élan nouveau de chaleur était entretenu au bénéfice de l'étranger assis avec eux à la petite table, mais peu à peu il se convainquit qu'il était authentique.

L'étranger était l'un des hommes les plus grands que Powell ait jamais vus. Assis, il était difficile d'évaluer sa taille mais Powell estima qu'il devait mesurer au moins un mètre quatre-vingt-quatorze. L'homme avait une ossature massive complétée par au moins trois cents livres de chair sous un costume de tailleur de luxe. La chevelure noire et épaisse était lustrée. Powell remarqua que les petits yeux de cochon de l'homme prenaient sa mesure, tranquillement, soigneusement.

— Ah, Kevin, dit le vieil homme, comme c'est bien de vous joindre à nous. Je ne crois pas que vous connaissiez le Dr Lofts.

Powell ne connaissait pas le docteur Lofts personnellement, mais il connaissait son travail. Le Dr Crawford Lofts était probablement le plus grand spécialiste en psychologie du monde, bien que sa réputation ne dépassât pas des cercles étroitement contrôlés. Le Dr Lofts dirigeait l'équipe d'Evaluation psychiatrique de l'Agence : le P.E.T. Le P.E.T. avait gagné ses galons, lorsque l'analyse qu'il avait faite du Premier ministre soviétique avait convaincu le Président Kennedy de ne pas hésiter à mettre l'embargo sur Cuba. Depuis lors, on avait donné au P.E.T. des ressources illimitées, afin de réunir son appréciation sur les principaux dirigeants mondiaux et les individus de premier plan.

Après avoir commandé du café pour Powell, le vieil homme se retourna et dit :

— Le Dr Lofts a travaillé sur notre Condor. Ces jours derniers, il a interrogé des gens, révisé le travail de notre gars et ses dossiers, et même vécu dans son appartement. Il a tenté d'établir un profil d'action, c'est ainsi que vous l'appelez ? Peut-être expliquerez-vous mieux, docteur.

La douceur de la voix de Lofts surprit Powell.

— Je crois que vous l'avez expliqué, mon vieil ami. Au fond, j'essaie de découvrir ce que pourrait faire Malcolm, étant donné ses antécédents. Tout ce que je peux dire, c'est qu'il improvisera à sa fantaisie et ne tiendra pas compte de ce que vous lui direz, à moins que cela ne cadre avec ce qu'il veut.

Le Dr Lofts ne développait pas ses théories. Cela aussi surprit Powell et il fut pris de court, lorsque Lofts s'arrêta de parler.

— Euh... qu'allez-vous faire alors ? bégaya Powell, se jugeant idiot, lorsqu'il s'entendit exprimer tout haut ses pensées.

Le docteur se leva pour partir. Un mètre quatre-vingt-quatorze au moins.

— J'ai éparpillé des observateurs par toute la ville, aux points où Malcolm pourrait se présenter. Vous voudrez bien m'excuser, je veux retourner les superviser.

Avec une inclinaison de la tête brève et polie pour le vieil homme et Powell, le Dr Lofts se retira d'un pas lourd.

Powell regarda le vieil homme.

— Croyez-vous qu'il ait une chance ?

— Non. Pas plus que n'importe qui d'autre. Il le pense aussi. Il y a trop d'éléments variables pour qu'il puisse faire plus que supputer. La notion de ses propres limites est ce qui fait sa qualité.

— Alors, pourquoi l'amener sur cette affaire ? Nous pouvons disposer de toute la main-d'œuvre voulue, sans avoir besoin de faire appel au P.E.T.

Les yeux du vieil homme étincelèrent mais il y avait de la froideur dans sa voix.

— Parce que, mon cher ami, ça ne fait pas de mal de disposer d'un grand nombre de chasseurs, s'ils chassent dans des directions différentes. J'ai le plus urgent besoin de trouver Malcolm et je ne veux pas rater la moindre levée de gibier. A présent, où en êtes-vous, de votre côté ?

Powell le lui dit et la réponse n'avait toujours pas varié : aucun progrès.

A 16 h 30, Malcolm décida qu'il était temps de voler une voiture. Il avait envisagé beaucoup d'autres moyens de transport mais les avait tous éliminés parce que trop risqués. La providence, associée à la Légion américaine et à une distillerie du Kentucky, résolut son problème.

Sans l'American Legion et sa Conférence nationale sur la Jeunesse et les Stupéfiants, Alvin Phillips ne serait jamais allé à Washington et encore moins au Monument. Il avait été désigné par le commandant de l'Etat d'Indiana pour suivre les travaux de la Conférence nationale, tous frais payés, afin de s'instruire de son mieux sur les méfaits de l'abus de la drogue parmi les jeunes. A la conférence, on lui avait remis un laissez-passer lui permettant d'éviter les files d'attente pour visiter le Capitole. Il avait perdu ce laissez-passer la nuit précédente, mais il se sentait tenu de voir le monument pour pouvoir au moins le décrire, une fois rentré chez lui.

Sans une certaine distillerie du Kentucky, Alvin n'aurait pas atteint l'état d'ébriété dans lequel il se trouvait. La distillerie avait aimablement offert à chacun des participants à la conférence une bouteille de son meilleur whisky. Alvin avait été tellement bouleversé par le film de la veille, montrant comment l'usage de la drogue conduisait souvent à des relations sexuelles de jeunes adolescentes nubiles, que la nuit précédente il avait ingurgité tout le contenu de la bouteille, à lui seul, dans sa chambre. Il avait trouvé ce whisky excellent et en avait acheté une autre bouteille pour se tenir en forme pendant la conférence et « tuer le chien qui le mordait ». A l'issue de la réunion, il ne restait plus grand-chose dans le flacon et il entreprit de naviguer en direction du monument.

Ce n'est pas Malcolm qui trouva Alvin, c'est Alvin qui trouva la file d'attente. Une fois là, il fit savoir clairement à qui voulait l'entendre que, s'il poireautait au soleil, par une chaleur accablante, c'était par devoir patriotique. Il n'avait pas à être ici, il aurait pu monter directement s'il n'avait pas été roulé par une poule qui l'avait délesté de son portefeuille et de son laissez-passer. Cette salope l'avait dans le cul avec les chèques de voyage qui étaient bien les nom de dieu de trucs qu'on pouvait acheter de mieux. Y a pas à dire, elle avait de sacrés lolos, pourtant. Et lui n'avait pas d'autre intention que de l'emmener faire un tour dans sa nouvelle voiture.

Lorsque Malcolm entendit le mot « voiture », il se prit immédiatement d'aversion pour les putains de rien du tout et d'une vive affection pour l'American Legion, l'Indiana, le whisky du Kentucky et la Chrysler flambant neuve d'Alvin. Après quelques commentaires d'entrée en matière, il fit savoir à Alvin que celui-ci parlait à un vétéran des guerres américaines, lequel n'avait justement pas de plus grande passion que les voitures. Buvez encore un coup, Alvin, mon pote.

— C'est bien vrai ? Vous êtes un mordu de bagnole ?

L'évocation d'un sujet aussi important écarta un instant Alvin de la bouteille. Il ne fallut pas grand-chose pour que la fraternité des armes le fît glisser à nouveau sur cette pente.

— Vous voulez en voir une formidable ? Je m'en suis acheté une toute neuve. Je viens de rouler avec, depuis l'Indiana. Etes-vous déjà allé en Indiana ? Il faut venir, venir me voir. Et ma bourgeoise. Ce n'est plus une beauté — nous avons quarante-quatre ans, vous savez. Je ne les parais pas, hein ? Où en étais-je ? Ah oui, ma moitié. Une brave femme. Un peu grasse, mais qu'est-ce qu'on en a à foutre, c'est ce que je dis toujours...

Pendant ce temps, Malcolm avait manœuvré pour écarter Alvin de la foule et le diriger vers le parking. Il avait aussi accepté de boire cinq ou six lampées à la bouteille qu'Alvin tenait soigneusement cachée sous son veston trempé de sueur. Malcolm portait la bouteille à ses lèvres closes et faisait remuer sa pomme d'Adam, en signe d'appréciation. Il ne voulait pas risquer d'être diminué par l'alcool au cours de la soirée à venir. Lorsque Alvin buvait à son tour, il compensait largement l'abstention de Malcolm. Le temps d'arriver au parking, il restait à peine quatre centimètres de liquide dans la bouteille.

Malcolm et Alvin parlèrent de ces sacrés mômes et de leurs abominables stupéfiants. Surtout les filles, les petites adolescentes, tout comme les « fans » en Indiana, toquées de marijuana et prêtes à faire n'importe quoi, « n'importe quoi », pour se procurer cette saleté de drogue. N'importe quoi. Malcolm laissa entendre en passant qu'il savait où trouver deux petites jeunes filles comme ça, toutes disposées à faire n'importe quoi pour cette saloperie de marijuana. Alvin l'interrompit pour dire d'un ton pénétré :

— Vraiment ?

Alvin réfléchit profondément, lorsque Malcolm (John) lui assura que c'était bien vrai. Malcolm fit traîner la discussion et poussa Alvin à désirer rencontrer les deux filles, afin d'être à même de raconter, à son retour en Indiana, si ça se passait vraiment de cette façon. Comme les filles étaient dans une sorte de lieu public, le mieux serait que « John » y allât pour les embarquer et les ramener. Ils pourraient alors aller tous ensemble dans la chambre d'Alvin pour parler. Il valait mieux leur parler là-bas qu'ici. Savoir si elles feraient n'importe quoi, *n'importe quoi,* pour cette cochonnerie de marijuana. Alvin donna les clefs de la voiture à Malcolm lorsqu'ils arrivèrent auprès de la Chrysler neuve, étincelante.

— Y a des tonnes d'essence, des tonnes. C'est sûr que vous n'avez pas besoin d'argent ? Alvin fouilla ses vêtements et en tira un portefeuille éculé. Prenez ce que vous voulez, la salope de la nuit dernière ne m'a fauché que mes chèques de voyage.

Malcolm prit le portefeuille. Et tandis qu'Alvin, d'une main tremblotante, portait la bouteille à ses lèvres, son nouvel ami rafla tous les papiers d'identité du portefeuille, y compris une carte portant le numéro de son permis de conduire. Il rendit le portefeuille à Alvin.

— Ça va, dit-il. Je ne crois pas qu'elles voudront de l'argent. Pas maintenant.

Il eut un sourire bref, un sourire complice. A la vue de ce sourire, Alvin sentit son cœur battre la chamade. Il était tellement parti que son visage demeurait sans expression.

Malcolm déverrouilla la portière. Une casquette bleue chiffonnée traînait sur le siège avant. Par terre, un pack de six canettes de bière qu'Alvin avait apportées pour mieux supporter la chaleur. Malcolm mit la casquette sur la tête de son ami et échangea les six bières contre la bouteille de whisky vide. Il vit la figure congestionnée, les yeux troubles. Deux heures au soleil et Alvin tomberait dans les pommes. Malcolm sourit et désignant une allée verdoyante :

— Quand je reviendrai avec les filles, nous vous retrouverons là-bas, ensuite nous irons dans votre chambre. Vous nous reconnaîtrez : elles ont toutes les deux des nichons formidables. Le temps de vider vos six bouteilles et je serais de retour. Ne vous en faites pas.

D'une bourrade affectueuse, il envoya Alvin chanceler en direction du parc et des tendres consolations de la ville. En sortant du parking, un coup d'œil au rétroviseur lui permit de voir Alvin faire un faux pas et tomber assis dans l'herbe dans un coin isolé. Lorsque Malcolm tourna, Alvin, qui venait de déboucher une canette de bière, buvait à longs, longs traits.

La voiture avait son réservoir d'essence presque plein. Malcolm gagna la voie express par la périphérie. Il s'arrêta un court instant à un restaurant « drive-in » de Chevy Chase pour manger un sandwich au fromage et s'isoler dans les toilettes. Il ne fit pas que se soulager, il vérifia son arme.

Le 42 Elwood Lane était une propriété à la campagne. La maison était à peine visible de la route. L'accès direct se faisait par une allée privée fermée par une solide grille de fer forgé. L'habitation la plus proche du voisinage se trouvait à deux kilomètres au moins. Des bois épais entouraient la maison de trois côtés. Le terrain entre la villa et la route était en partie découvert. Un coup d'œil rapide suffit à Malcolm pour juger que la maison était grande, mais il ne s'attarda pas à regarder de plus près. C'eût été une folie.

A une petite station d'essence, en suivant la route, il se procura une carte de la région. Les bois, derrière la maison, couvraient des collines inhabitées. Lorsqu'il dit au pompiste qu'il était un ornithologue en vacances et qu'il croyait avoir aperçu une bergeronnette extrêmement rare, l'employé lui vint en aide, lui indiquant des chemins qui ne figuraient pas sur la carte et qui pouvaient le conduire dans la région où nichait l'oiseau. L'un de ces chemins passait derrière le 42 Elwood Lane.

Avec l'assistance bénévole du pompiste, Malcolm trouva la bonne route. Cahoteuse, en terre avec seulement des traces de cailloux, elle serpentait autour des collines, à travers des ravines et d'anciens sentiers à vaches. L'épaisseur des bois était telle que parfois Malcolm ne voyait pas à plus de six mètres devant lui. Sa chance ne l'abandonna pas cependant et, en escaladant une colline, il aperçut la maison, par-dessus les arbres, à sa gauche, à deux kilomètres au moins de là. Malcolm fit quitter la route à sa voiture et entra, bondissant et cahotant, dans une petite clairière.

Les bois étaient silencieux, le ciel virait au rose. Malcolm, rapidement, se fraya un chemin à travers les arbres, conscient de devoir se rapprocher de la maison avant le coucher du soleil, s'il voulait la trouver.

Cela lui prit une demi-heure de dur effort. Au moment où le jour passait du coucher de soleil au crépuscule, il atteignit le sommet d'une petite colline. La villa était juste au-dessous de lui, à trois cents mètres. Malcolm se laissa tomber par terre pour reprendre souffle à l'air frais et vif. Il voulait fixer dans sa mémoire tout ce qu'il pouvait encore voir dans la lumière déclinante. A travers les fenêtres de la maison il aperçut vaguement des ombres en mouvement. La cour était spacieuse, ceinte par un mur de pierre. Il y avait un petit appentis derrière la maison. Il attendrait la nuit.

A l'intérieur de la villa, Robert Atwood s'installa confortablement dans son fauteuil préféré. Tandis que son corps se détendait, son esprit travaillait. Il ne désirait pas rencontrer Maronick et ses hommes ce soir, surtout pas ici. Il savait que le filet se resserrait autour d'eux et il savait aussi qu'ils allaient faire pression sur lui pour qu'il trouve une solution de remplacement. Pour l'instant, Atwood n'en avait aucune. La dernière série d'événements avait considérablement modifié le scénario. De la fille dépendaient beaucoup de choses. Si elle reprenait connaissance et était capable de l'identifier... alors, ce serait un coup fatal. Il était trop risqué d'envoyer Maronick s'occuper d'elle, les mesures de sécurité avaient été renforcées. Atwood sourit. En revanche, la survie de la fille pouvait avoir des conséquences intéressantes et favorables, tout spécialement sur ses rapports avec Maronick. Le sourire d'Atwood s'élargit. L'infaillible Maronick avait raté son coup. Pas de beaucoup, mais il l'avait raté. Cette fille, un témoin en vie, il pourrait peut-être l'utiliser contre Maronick. *Comment ?* Atwood n'en avait pas une notion bien nette, mais il décida qu'il valait mieux laisser croire à Maronick que la fille était morte. Il ferait intervenir cet élément dans son jeu par la suite. Actuellement Maronick devait concentrer ses efforts sur la découverte de Malcolm.

Atwood savait que Maronick avait insisté pour le voir chez lui dans le but de le compromettre davantage. Ce dernier s'arrangerait pour être vu par quelqu'un du voisinage que la police pourrait interroger plus tard, si les choses tournaient mal. Maronick cherchait à s'assurer sa loyauté de cette manière. Atwood sourit. Il y avait là quelque chose à exploiter. Peut-être la fille serait-elle un levier utilisable si...

— Je pars maintenant, chéri.

Atwood se tourna vers son interlocutrice, une grande femme aux cheveux gris, vêtue d'un tailleur de bonne coupe. Il se leva et accompagna sa femme jusqu'à la porte. Lorsqu'il se trouvait près d'elle, ses yeux se portaient invariablement sur les minuscules cicatrices de son cou et de la bordure du cuir chevelu, là où le chirurgien esthétique avait retendu sa peau pour lui ôter quelques années. Il sourit en se demandant si la chirurgie et toutes les heures passées dans un institut de beauté dont la minceur de la taille était la spécialité rendaient plus agréables les tâches dévolues à son amant.

Elaine Atwood avait cinquante ans, cinq ans de moins que son mari et vingt-quatre de plus que son amant. L'homme qui avait enflammé son cœur et lui avait rendu la jeunesse, elle le connaissait sous le nom d'Adrian Queens, un Anglais qui étudiait dans une université américaine. Son mari, lui, savait tout sur l'amant, et surtout qu'Adrian Queens s'appelait en réalité Alexis Ivan Podgovich, un ambitieux agent du K.G.B. qui espérait soutirer à l'épouse d'un dirigeant très en vue d'un service d'espionnage américain des renseignements utiles à son avancement. Le « roman d'amour » entre Podgovich et sa femme l'amusait et servait bien ses projets. Il occupait et distrayait Elaine et lui fournirait, à lui, l'occasion de réussir un coup dans le domaine du renseignement. Ces choses-là ne nuisent nullement à la carrière d'un homme s'il sait tirer avantage de l'occasion qui se présente.

— Il se peut que je reste coucher chez Jane après le concert, chéri. Veux-tu que je te téléphone ?

— Non, chérie ; si tu n'es pas rentrée à minuit, j'en déduirai que tu passes la nuit chez elle. Ne t'inquiète pas pour moi et fais mes amitiés à Jane.

Le couple sortit de la maison. Atwood déposa un baiser poli sur la joue poudrée de son épouse qui, avant même d'être montée dans la voiture stationnée dans l'allée (une voiture de sport américaine, pas la Mercédès), ne songeait plus qu'à son amant et à la longue nuit qu'ils avaient devant eux. Quant à Atwood, avant même d'avoir refermé la porte d'entrée, son esprit était revenu à Maronick.

Malcolm vit la scène qui se déroulait à l'entrée de la maison, bien qu'à cette distance il ne pût distinguer les physionomies. Le départ de la femme lui redonna confiance. Il attendrait une demi-heure.

Au bout d'un quart d'heure, Malcolm s'aperçut que deux hommes remontaient l'allée en direction de la maison. Leurs silhouettes se détachaient à peine sur l'ombre. S'ils étaient restés immobiles, Malcolm ne les aurait pas vus. La seule chose qu'il distingua de son perchoir lointain fut la grandeur et la maigreur de l'un de ces hommes. La grande taille de cet homme éveilla quelque chose dans le subconscient de Malcolm, mais il fut incapable de savoir quoi. Après avoir sonné, les deux individus disparurent à l'intérieur de la maison.

Avec des jumelles, Malcolm aurait pu voir la voiture de ces hommes. Ils l'avaient rangée à l'intérieur de la propriété, juste après la grille et avaient parcouru à pied le reste du chemin. Bien que désireux de laisser des traces de sa visite chez Atwood, Maronick ne tenait pas à ce que celui-ci voie sa voiture.

Malcolm compta jusqu'à cinquante et commença à avancer

en direction de la maison. Il parcourut trois cents mètres. Dans l'obscurité, il lui était difficile de voir les branches d'arbres et ceux qui rampaient pour le renverser et l'abattre bruyamment. Il avançait lentement, sans se soucier des buissons qui l'écorchaient. A mi-chemin, Malcolm trébucha sur un tronçon d'arbre, arrachant l'étoffe de son pantalon et se tordant le genou, mais il se retint de crier. Cent mètres. Il traversa à toute allure, en boîtant, des broussailles coupées et des herbes hautes avant de s'accroupir derrière le mur de pierre. Malcolm assura dans sa main le lourd Magnum, tout en s'efforçant de reprendre son souffle. Son genou le faisait souffrir mais il essaya de ne pas y penser. Par-dessus le muret de pierre, il voyait la cour de la maison, avec, à droite, le vieux hangar à outils. Quelques arbustes à feuilles persistantes disséminés le séparaient de la maison. A sa gauche, le noir absolu.

Malcolm regarda le ciel. La lune n'était pas encore levée. On voyait quelques nuages et les étoiles scintillaient vivement. Il attendit, retenant son souffle et s'assurant que ses oreilles ne percevaient rien d'insolite dans l'obscurité. Il sauta le mur bas et courut à l'arbuste le plus proche. Cinquante mètres.

Une ombre se détacha sans bruit du hangar à outils pour se fondre très vite avec un arbuste. Malcolm aurait dû la remarquer. Il ne le fit pas.

Un autre sprint amena Malcolm à vingt-cinq mètres de la maison. La lueur provenant des fenêtres ne laissait dans l'ombre qu'une mince bande de gazon qui le séparait de l'arbuste suivant. Les fenêtres étaient basses. Malcolm ne voulut pas risquer de se faire voir en train de traverser la pelouse au pas de course. Il se mit à plat ventre et avança en rampant sur l'étroite bande d'ombre. Dix mètres.

Par les fenêtres ouvertes, il pouvait entendre les voix. Il se persuada que divers bruits perçus par son oreille étaient le produit de son imagination à partir de l'animation nocturne de Mère Nature.

Malcolm respira profondément et fonça vers le buisson qui se trouvait sous la fenêtre ouverte. Au second pas, il entendit un halètement précipité. Et sa nuque éclata en un choc retentissant.

La vérité, toute la vérité, rien que la vérité.
Serment traditionnel.

Malcolm reprit brutalement connaissance. Il eut l'impression d'une présence, puis soudain son corps télégraphia à son cerveau un message désespéré : il lui fallait vomir. Il se pencha en avant et sa tête fut poussée au-dessus d'un seau prévu à cet effet. Quand ses haut-le-cœur s'apaisèrent, il ouvrit des yeux douloureux pour se rendre compte de sa fâcheuse posture.

Malcolm battit des paupières pour éclaircir ses verres de contact. Il était assis par terre dans un salon ultra-chic. Sur le mur d'en face, il y avait une petite cheminée. Deux hommes étaient assis dans des fauteuils entre lui et ce mur. L'homme qui avait tiré sur Wendy et son compagnon. Malcolm cligna des yeux encore une fois. Il vit se profiler la silhouette d'un homme sur sa droite, un homme très grand et très mince. Comme il se tournait pour mieux le voir, l'homme qui se tenait derrière lui cogna la tête de Malcolm pour qu'elle se retrouve de face par rapport aux deux hommes assis. Malcolm voulut bouger les mains mais elles étaient liées derrière son dos avec un cordon de soie qui ne laisse pas de marques.

Le plus âgé des deux hommes sourit, visiblement fort satisfait de lui-même.

— Eh bien, Condor, dit-il, soyez le bienvenu dans mon nid.

L'autre homme resta quasiment impassible, mais Malcolm crut déceler une curiosité amusée au fond des yeux froids.

Le plus âgé poursuivit :

— Il nous a fallu du temps pour vous trouver, mon cher Malcolm, mais maintenant que vous êtes ici, je suis plutôt content que notre ami Maronick ne vous ait pas descendu, vous aussi. J'ai quelques questions à vous poser. Pour certaines, je connais déjà la réponse, pour d'autres, je ne la connais pas. Voici le moment rêvé pour obtenir ces réponses. Vous êtes bien d'accord ?

Malcolm avait la bouche sèche. L'homme maigre lui porta un verre d'eau aux lèvres. Lorsque Malcolm eut bu, il dévisagea les deux hommes et dit d'une voix âpre :

— Moi aussi, j'ai des questions. Donnant, donnant.

L'homme âgé sourit en disant :

— Vous n'y êtes pas, mon petit ! Je ne m'intéresse pas à vos questions. Nous n'allons pas perdre notre temps avec cela. Pourquoi vous dirais-je quoi que ce soit ? Ce serait peine perdue. Non, c'est vous qui allez nous parler. Est-il en mesure de répondre à présent, Cutler, ou avez-vous cogné un peu trop fort avec votre fusil ?

L'homme qui tenait Malcolm avait la voix grave.

— Il doit avoir la tête claire, à présent.

L'homme tira brutalement Malcolm contre le plancher, tandis que le grand maigre lui saisissait les pieds et que Maronick descendait son pantalon. Il enfonça une aiguille hypodermique dans la cuisse raidie de Malcolm, et injecta le liquide dans la veine principale. De cette façon, l'action était plus rapide et il y avait peu de chances qu'un enquêteur pût remarquer une petite piqûre sur la face intérieure de la cuisse.

Malcolm comprit ce qui se passait. Il essaya de résister à l'inévitable. Il contraignit son esprit à se représenter un mur de brique, à éprouver ce qu'était un mur de brique, à sentir un mur de brique, à devenir un mur de brique. Il perdit toute notion du temps, mais, de briques, il n'y avait point. Il entendit les voix qui le questionnaient et il voulut faire de leurs sons des briques pour édifier son mur.

Puis, lentement, morceau par morceau, le sérum de vérité entailla ce mur. Ses interrogateurs appliquaient soigneusement leurs coups de marteau. Qui êtes-vous ? Quel âge avez-vous ? Quel est le nom de votre mère ? Des petits bouts de mortier se détachaient. Puis de gros morceaux. Où travaillez-vous ? Que faites-vous ? Une par une, les briques se détachaient.

Qu'est-ce qui s'est passé jeudi dernier ? Que savez-vous de l'affaire ? Qu'avez-vous fait à son sujet ? Pourquoi l'avez-vous fait ?

Petit à petit, morceau par morceau, Malcolm sentit son mur s'écrouler. Bien qu'il en éprouvât du regret, il ne pouvait arrêter le désastre. Finalement, son cerveau fatigué se mit à battre la campagne. Les questions cessèrent et il sombra dans le néant. Il sentit une légère piqûre à sa cuisse et le vide fit place à l'engourdissement.

Maronick avait fait une légère erreur de calcul. La faute était compréhensible : il employait la drogue à un milligramme près pour des résultats aux variations inconnues, mais il aurait dû se tromper dans le sens de la prudence. Quand il vida en catimini la moitié de la dose contenue dans la seringue que lui avait donnée Atwood, Maronick pensait en avoir injecté suffisamment pour provoquer l'inconscience. La mesure était un peu juste. La drogue se combina au penthotal comme prévu mais provoqua seulement la stupeur et non l'inconscience.

Malcolm était dans un état de rêve. Ses paupières baissées sur ses verres de contact n'étaient pas closes. Les sons lui parvenaient comme à travers une chambre d'écho. Son esprit ne pouvait relier des idées, mais il enregistrait.

— Va-t-on le tuer maintenant ? (la voix grave).

— Non, dehors.

— Qui ?

— Je vais refiler ça à Charles, il aime le sang. Donne-lui ton couteau.

— Tenez, vous lui donnerez. Je vais recontrôler ça.

Des pas qui s'éloignent. Une porte s'ouvre, se referme, des mains courent sur son corps. Quelque chose lui balaye le visage.

— Nom de dieu.

Un bout de papier rose sur le sol près de son épaule. Les larmes embuent ses verres, mais sur le papier il y a : Vol 27, TWA, National, 6 h du matin.

La porte s'ouvre, se referme. Des pas approchent.

— Où sont Atwood et Charles ?

— Ils examinent le terrain, au cas où il aurait laissé tomber quelque chose.

— Oh. A propos. Voici la réservation que j'ai faite pour vous au nom de James Cooper.

Bruit de papier.

— Bon, allons-y !

Malcolm sent son corps soulevé de terre. Passe à travers des pièces. Arrive dehors dans l'air froid de la nuit. Des senteurs suaves de lilas en fleurs. Une voiture : on le charge à l'arrière. Son esprit commence à enregistrer davantage de détails, à combler les vides. Son corps est encore perdu, couché sur le sol et une paire de lourdes godasses s'enfoncent dans ses côtes. Une longue équipée cahoteuse. Stop. Le moteur, au point mort, la portière s'ouvre.

— Charles, pouvez-vous le porter dans le bois, en haut de ce chemin, à cinquante mètres à peu près. J'apporte la bêche dans quelques minutes. Attendez que je sois là-haut. Je veux que ce soit fait d'une certaine façon.

Un rire bas.

— Rien à craindre.

En l'air. Coincé sur une haute épaule osseuse, ballotté sur un sentier rugueux, la douleur causée par les cahots ramenait la vie dans son corps.

A la minute où le malabar jeta Malcolm par terre, la conscience lui était revenue. Il avait encore le corps engourdi, mais son esprit travaillait et son œil était vif. Il put voir le grand type sourire dans la nuit à peine éclairée. Ses yeux découvrirent la source d'une série de déclics et de claquements qui fouettaient l'air humide. L'homme ouvrait et refermait la lame de son couteau à cran d'arrêt avec impatience.

Des petites branches craquèrent et les feuilles mortes crissèrent sous un pas léger. L'homme aux traits caractéristiques apparut au bord de la petite clairière. Il tenait de la main gauche une lampe électrique. Le rayon tomba sur Malcolm qui essayait de se redresser. Sa main droite pendait à son côté. Sa voix claire figea la tentative de Malcolm.

— Notre Condor est-il remis ?

Le malabar, impatienté, intervint :

— Il va bien, Maronick, mais on s'en fout. Il est sorti drôlement vite des effets de cette drogue. Il s'interrompit pour se lécher les lèvres. Vous êtes prêt, maintenant ?

Le rayon de la lampe portative se déplaça pour éclairer la figure avide du grand type. La voix de Maronick perça doucement l'air nocturne.

— Oui, je le suis.

Il leva le bras droit et avec un léger *plop !* de son silencieux tira à travers le plexus solaire du grand type.

La balle alla se loger dans l'épine dorsale de Charles. La commotion le projeta en arrière sur les talons, mais il tomba à genoux et face contre terre. Maronick s'avança au-dessus de la longue forme flasque. Pour plus de sécurité, il lui tira une balle dans la tête.

L'esprit de Malcolm titubait. Il savait ce qu'il voyait, mais ne pouvait y croire. Le dénommé Maronick s'avança lentement vers lui. Il se pencha pour vérifier les liens qui retenaient les pieds et les mains de Malcolm. Rassuré, il s'assit sur un tronc d'arbre tout proche, éteignit sa lampe et dit :

— Voulez-vous qu'on parle ?

« Vous avez trébuché sur quelque chose et vous vous en êtes tiré tant bien que mal. Je dois dire que j'ai éprouvé une espèce d'admiration professionnelle pour vous au cours des cinq derniers jours. Pourtant, cela n'a rien à voir avec ma décision de vous donner une chance de sortir de là vivant — en héros.

« En 1968, pour aider un gouvernement anticommuniste, la C.I.A. a prêté assistance à certaines tribus Méos au Laos, en poussant la principale activité commerciale de cette région : la production de narcotiques. Mêlée aux combats qui se livraient dans cette zone, il y avait une guerre entre des intérêts concurrents. Nos gens ont aidé une faction, en utilisant les avions de transport pour amener l'opium brut sur son circuit de distribution. Du point de vue de la C.I.A. l'opération tout entière était parfaitement régulière, bien que j'imagine que certains aient froncé les sourcils en voyant le gouvernement des Etats-Unis promouvoir la drogue.

« Vous savez que ce genre d'entreprise est extrêmement

payant. Notre groupe, dont vous avez rencontré la plupart des membres, a décidé que l'occasion de s'enrichir individuellement ne devait pas être négligée. Nous avons détourné du marché officiel une quantité appréciable de blocs de morphine non traitée, de la meilleure qualité, et nous l'avons acheminée dans une autre direction. Nous avons été bien récompensés de nos efforts.

« Dès le début, je me suis trouvé en désaccord avec Atwood sur la façon de conduire cette affaire. Au lieu de décharger la marchandise en Thaïlande et d'en confier le traitement à des laboratoires locaux, ce qui nous laissait un bénéfice raisonnable, il a insisté pour faire entrer ces blocs de morphine directement aux Etats-Unis et les vendre à un groupe américain qui voulait autant que possible éviter les intermédiaires. Pour ce faire, nous avons dû nous servir de l'Agence, trop.

« Nous avons à dessein utilisé votre section, tout d'abord parce que nous avons compromis un trésorier — pas votre ancien comptable — pour maquiller les livres et les remaquiller par la suite, afin de nous procurer du numéraire. Ensuite, nous avons expédié la morphine aux Etats-Unis dans des caisses de livres officielles. Elle se rangeait parfaitement dans ces boîtes et puisqu'il s'agissait de matériel appartenant à l'Etat, nous ne risquions pas que la douane y fourre son nez. Notre agent à Seattle interceptait le colis et le remettait aux acheteurs. Mais cet arrière-plan n'a que peu de rapports avec votre présence ici.

« Votre ami Heidegger a tout déclenché. Il était trop curieux. Afin d'écarter tout risque, il nous a fallu éliminer Heidegger. Pour camoufler sa mort et pour le cas où il aurait parlé à quelqu'un, nous avons dû anéantir la Section tout entière. Mais vous avez bousillé notre opération, par une chance inimaginable.

Malcolm s'éclaircit la voix.

— Pourquoi me laissez-vous en vie ?

Maronick sourit.

— Parce que je connais Atwood. Il ne se sentira pas à l'abri tant que mes associés et moi ne serons pas morts. Nous sommes les seuls qui puissions le relier à tout ce bordel. Vous mis à part. Par conséquent, nous devons mourir. Il doit être en train de réfléchir à la façon de nous supprimer. C'est nous qui sommes censés récupérer vos enveloppes à la banque demain. Je suis certain que, si nous y allions, nous serions abattus pour tentative de hold-up, ou tués dans un accident de voiture, ou nous « disparaîtrions » tout simplement. Atwood fait l'idiot, mais il ne l'est pas.

Malcolm regarda la forme noire sur le sol.

— Je ne comprends toujours pas. Pourquoi avez-vous tué ce Charles ?

— J'ai besoin, moi aussi, d'effacer mes traces. Il était un dangereux poids mort. Que vos lettres soient lues par l'un ou par l'autre, cela ne fait aucune différence pour moi. Les puissances en place me savent compromis. Je vais disparaître sans bruit au Moyen-Orient où un homme possédant mes talents trouve toujours à s'employer.

« Mais je ne veux pas rencontrer un jour ou l'autre à un coin de rue des agents américains venus me cueillir. Je fais donc un petit cadeau au pays, dans l'espoir d'être traité en brebis égarée qu'il n'y a pas lieu de rechercher. Mon cadeau d'adieu, c'est Robert Atwood. Je vous laisse vivre pour la même raison. Vous aussi avez la possibilité de livrer Atwood. Il vous a causé un tas d'ennuis. En fin de compte, c'est lui qui a rendu toutes ces morts nécessaires. Je ne suis qu'un technicien, comme vous. Je regrette pour la fille, mais je n'avais pas le choix. *C'est la guerre !* *

Malcolm réfléchit longtemps. Il dit finalement.

— Qu'envisagez-vous pour tout de suite... ?

Maronick se leva. Il jeta le couteau à cran d'arrêt aux pieds de Malcolm. Il lui fit ensuite une autre piqûre et dit, d'un ton impassible :

— C'est un stimulant extrêmement puissant. Il remettrait un mort sur pied pour une demi-journée. Il devrait vous redonner assez de ressort pour régler son compte à Atwood. Il est âgé mais très dangereux encore. Quand vous aurez

---

* *En français dans le texte.*

coupé vos liens, retournez à la clairière où nous avons garé la voiture. Au cas où vous ne l'auriez pas remarqué, c'est celle avec laquelle vous êtes venu. Vous trouverez sur le siège arrière un ou deux objets qui pourraient vous être utiles. A votre place, je me rangerais à l'intérieur de la grille et j'irais à pied derrière la maison. Grimpez à l'arbre et entrez par la fenêtre du deuxième étage. Un hasard veut qu'elle ne soit pas fermée. Faites ce que vous voulez de lui. S'il vous tue, il y aura encore les lettres et plusieurs macchabées sur lesquels il devra s'expliquer.

Maronick abaissa les yeux sur la silhouette à ses pieds.

— Adieu, Condor. Un dernier conseil. Cantonnez-vous dans la recherche. Vous avez épuisé votre part de chance. Sur le terrain, vous n'êtes pas de taille.

Il disparut dans les bois.

Après quelques minutes de silence, Malcolm entendit une voiture démarrer et s'éloigner. Il se tortilla pour attraper le couteau.

Il passa une demi-heure à se libérer. Il s'entailla les poignets à deux reprises mais chaque fois sans gravité et le saignement s'arrêta dès qu'il cessa de se servir de ses mains.

Il trouva la voiture. Sur la vitre, il y avait une note, collée par un bout de scotch. Le corps de celui qu'on appelait Cutler était affalé près de la portière. On lui avait tiré dans le dos. La note avait été écrite pendant que le grand type portait Malcolm dans le bois. Elle était courte mais précise. « Votre arme salie par la boue. Fusil à l'arrière a dix balles. Espère que vous savez vous servir d'un automatique. »

Le fusil à l'arrière était une petite arme, calibre 22, ordinaire. Cutler s'en était servi pour s'exercer à tirer à la cible. Maronick l'avait laissé pour Malcolm, en pensant que n'importe quel amateur devait pouvoir se servir d'une arme aussi légère. Il avait laissé le pistolet automatique muni d'un silencieux, pour toute éventualité. Malcolm arracha le billet et partit avec la voiture.

Au moment où il arrêtait la voiture à l'extérieur de la grille d'Atwood, Malcolm sentit l'effet de la drogue. Les élancements dans sa nuque et sa tête, les petites douleurs de son corps, tout avait disparu. En revanche, il sentait naître en lui une énergie confiante. Il se dit qu'il lui faudrait combattre l'euphorie et l'assurance démesurée que lui donnait la drogue.

Il n'eut aucune difficulté à grimper au chêne et la fenêtre n'était pas fermée. Malcolm décrocha son fusil et l'arma. Lentement et sans bruit, il pénétra sur la pointe des pieds dans le corridor sombre et avança sur le tapis du couloir jusqu'au haut de l'escalier. Il entendit l'ouverture de *1812* de Tchaïkovski retentir dans la pièce où on l'avait interrogé. De temps à autre, une voix familière fredonnait triomphalement. Lentement, Malcolm descendit l'escalier.

Atwood tournait le dos à la porte lorsque Malcolm entra dans la pièce. Il était occupé à choisir un autre disque sur le classeur fixé au mur. Sa main s'arrêta sur la *Cinquième* de Beethoven.

Très calmement, Malcolm leva le fusil, ôta d'un déclic le cran d'arrêt, visa et tira. Des heures de pratique sur des tuyaux, des lapins et des boîtes de conserve conduisirent la balle à son but. Elle fracassa le genou droit d'Atwood qui tomba par terre en poussant un cri aigu.

La terreur et la souffrance emplirent les yeux de l'homme mûr. Il roula sur le côté, pour voir Malcolm tirer à nouveau. Il cria lorsque la seconde balle mit en pièces son autre genou. Ses lèvres formulèrent la question :

— Pourquoi ?

— Votre question est puérile. Disons simplement que je ne voulais pas vous voir vous tailler, pendant un certain temps.

Malcolm déploya une activité fébrile. Il noua des serviettes autour des genoux de l'homme qui geignait, pour ralentir l'écoulement du sang, puis il lui attacha les mains à une table d'angle. Il courut à l'étage et fouilla les chambres, sans but, pour consumer l'énergie qui lui courait dans les veines. Il lui fallut un grand effort pour se contrôler. Maronick savait choisir ses drogues, songea-t-il. Atwood, qui avait tout combiné, tout dirigé, le cerveau de l'affaire, était en bas. Les seconds rôles de la bande étaient tous morts. Maronick était le seul qui restait, Maronick, le tueur. Malcolm songea un instant aux voix, à l'autre bout de la ligne d'Urgence, aux professionnels, des professionnels comme Maronick. Non, pensa-t-il, jusqu'ici il s'agissait de moi. Eux contre moi. Maronick en a fait quelque chose de plus personnel en tuant Wendy. Pour les professionnels, c'était un boulot. Ils s'en foutaient. Détails imprécis d'un projet ourdi autour de ses idées et de ses desiderata.

Il courut à la chambre à coucher d'Atwood où il échangea ses vêtements déchirés contre l'un des nombreux costumes. Il fit un tour à la cuisine et dévora un peu de poulet froid et de la tarte. Il revint à la pièce où gisait Atwood, la parcourut d'un coup d'œil rapide et s'éclipsa en direction de la voiture, pour une longue randonnée.

Atwood demeura allongé assez longtemps après le départ de Malcolm. Lentement, faiblement, il essaya de se traîner par terre en tirant la table après lui. Il était trop faible. Il ne réussit qu'à faire tomber de la table un portrait. Celui-ci atterrit sur le dos. Le verre ne se brisa pas en éclats qu'il aurait pu utiliser pour couper ses liens. Résigné à son sort, il s'effondra sur le ventre, se reposant en vue des épreuves à venir. Il jeta un coup d'œil au portrait et soupira. C'était une photo de lui. En uniforme de capitaine de vaisseau de la Marine des Etats-Unis.

Les employés sont priés de se laver les mains avant de sortir.

Ecriteau traditionnel
pendu dans les toilettes.

Mitchell avait atteint ce que les psychiatres de l'Agence appelaient le niveau d'acclimatisation à la crise ou Stade Zombie 4. Depuis six jours, il demeurait tendu, autant qu'un ressort peut l'être. Il s'était adapté à cet état et acceptait maintenant l'hypertension et l'hyperactivité. Dans cet état, il demeurait extrêmement compétent et extrêmement efficace tant qu'il fallait agir dans le contexte des conditions l'ayant engendré. Tout élément étranger risquait de briser son sang-froid. L'un des symptômes de cet état, c'est l'ignorance qu'en a le sujet. Mitchell se sentait seulement un peu nerveux. Sa raison lui disait qu'il devait avoir vaincu l'épuisement et la tension par une sorte de second souffle. Voilà pourquoi il était encore éveillé à 4 h 20 du matin.

Echevelé et puant d'être resté six jours sans prendre de bain, il se tenait à son bureau, relisant des rapports pour la centième fois. Il fredonnait tout bas. Il ne lui venait pas à l'idée que les deux membres de la Sûreté, en renfort à proximité du distributeur de café, se trouvaient là pour lui. L'un était son second et l'autre un psychiatre, un protégé du Dr Lofts. Le psychiatre avait pour mission de veiller sur Mitchell et de dépister les appels téléphoniques de Malcolm s'il y en avait.

Drrring !

La sonnerie fit bondir tous les hommes de la pièce. Mitchell étendit calmement la main pour les rassurer, tandis que, de l'autre, il prenait le récepteur. Ses mouvements souples avaient la rapidité tranquille d'un athlète entraîné, ou d'une machine bien huilée.

— 493-7282.

— Ici Condor. C'est presque terminé.

— Je vois. Alors pourquoi ne venez...

— J'ai dit : presque. Maintenant, écoutez et saisissez bien. Maronick, Weatherby et leur bande travaillaient sous la direction d'un dénommé Atwood. Ils cherchaient à effacer les traces d'une affaire frauduleuse, montée par eux en 1968. Ils se servaient des facilités de l'Agence et Heidegger l'a découvert. Le reste va de soi.

« Il me reste une corvée à accomplir. Si je ne réussis pas, vous l'apprendrez. En tout cas, j'ai posté un truc à ma banque. Vous feriez bien d'aller le chercher. Ça arrivera ce matin.

« Envoyez donc tout de suite une équipe solide chez Atwood. Il habite 42 Elwood Lone à Chevy Chase.

(Le second de Mitchell décrocha un téléphone rouge et se mit à parler à mi-voix. Dans une autre partie du bâtiment, des hommes se précipitèrent dans les voitures qui attendaient. Un second groupe courut vers un hélicoptère de combat Cobra qui se tenait perpétuellement sur le toit, prêt à décoller.)

— Qu'un médecin les accompagne. Deux des hommes de Maronick sont dans les bois, derrière la maison, mais ils sont morts. Souhaitez-moi bonne chance.

Le déclic du téléphone résonna avant que Mitchell ait pu placer un mot. Il regarda son dépisteur d'appels et reçut en réponse un hochement de tête négatif.

La pièce se remplit d'une activité fébrile. On décrocha les appareils et, dans tout Washington, des gens furent réveillés par le grelottement aigu d'une sonnerie spéciale. Les machines à écrire crépitaient, des messagers partaient en courant. Ceux qui n'avaient rien de spécial à faire arpentaient la pièce. L'excitation de son environnement n'atteignait pas Mitchell. Il demeurait assis à son bureau, dirigeant calmement les opérations. Son front et ses paumes étaient secs mais une curieuse lueur brillait au fond de ses yeux.

Malcolm appuya sur le crochet du téléphone et inséra une autre pièce. La sonnerie ne retentit que deux fois.

La fille avait été choisie pour sa voix douce et cordiale.

— Bonjour. T.W.A. Puis-je vous être utile ?

— Oui. Mon nom est Henry Cooper. Mon frère s'envole aujourd'hui pour prendre des vavances bien méritées. Il s'évade de tout, vous comprenez. Il n'a dit à personne où il allait, parce qu'il n'était pas encore décidé. Nous voulons lui faire un petit cadeau de dernière minute. Il a déjà quitté l'appartement, mais nous pensons qu'il prend le vol 27 qui décolle à 6 heures. Pouvez-vous me dire s'il a bien réservé ?

Il y eut un léger silence, puis :

— Oui, monsieur. Votre frère a fait une réservation sur ce vol pour... Chicago. Il n'a pas encore pris son billet.

— Bien. Je vous suis très obligé. Pourriez-vous encore me rendre le service de ne pas lui dire que nous avons appelé ? La surprise s'appelle Wendy, ou elle voyagera avec lui, ou elle prendra l'avion suivant.

— Naturellement, monsieur Cooper. Dois-je faire une réservation pour cette dame ?

— Non merci. Je crois qu'il vaut mieux attendre et voir comment ça marche à l'aéroport. L'avion part à 6 heures, n'est-ce pas ?

— Oui.

— Bien, nous serons là. Merci.

— Merci à vous, monsieur, d'avoir pensé à T.W.A.

Malcolm sortit de la cabine téléphonique. Il épousseta sa manche pour faire tomber un bout de fil. L'uniforme d'Atwood lui seyait parfaitement, bien qu'un peu large. Les chaussures étaient grandes et son pied avait tendance à glisser vers l'avant. Le cuir admirablement ciré craquait sur le chemin du parking à l'aéroport national. Il portait l'imperméable plié sur son bras et tira la casquette en avant sur son front.

Malcolm jeta dans une boîte aux lettres une enveloppe non timbrée adressée à la C.I.A. La lettre contenait tout ce qu'il savait, y compris le nom d'emprunt de Maronick et son numéro de vol. Le Condor espérait pouvoir se passer du service postal des Etats-Unis.

L'aérogare commençait à se remplir de gens affairés qui allaient l'encombrer tout le jour. Un gardien à la respiration sifflante balayait les mégots de la moquette rouge. Une mère cajolait un enfant excédé, pour le faire taire. Une collégienne inquiète se demandait si la carte demi-tarif de sa copine de chambre allait marcher. Trois jeunes Marines, qui rentraient chez eux au Michigan, se demandaient si la jeune fille marcherait. Un riche directeur retraité et un alcoolique fauché dormaient dans des fauteuils contigus : tous deux attendaient leurs filles qui arrivaient par avion de Détroit. Un cadre supérieur de Fuller Brush était assis, parfaitement immobile, essayant de combattre les futurs effets d'un voyage en Jet sur une gueule de bois causée par un abus de gin. Le programmateur de la musique d'ambiance avait décidé de consacrer au jazz les premières heures de l'aube et un orchestre inconnu jouait en sourdine un air des Beattles.

Malcolm marcha vers une rangée de fauteuils d'où l'on pouvait entendre ce qui se disait au bureau de la T.W.A. Il était assis à proximité des trois Marines, qui, respectueusement, firent mine de ne pas le voir. Il tenait une revue qui dissimulait en partie son visage. Il ne quittait pas des yeux le bureau de la T.W.A. Il glissa la main droite dans sa veste d'officier de marine pour en sortir l'automatique muni d'un silencieux. Il passa sa main lourde du poids de l'arme sous l'imperméable et entreprit d'attendre.

A 5 h 30 précises, Maronick franchit sans méfiance les portes principales. L'homme aux traits caractéristiques avait étudié un léger boitillement que les bons observateurs s'efforcent invariablement d'éviter de regarder, mais qu'ils remarquent toujours. Le boitillement domine tout et leur esprit efface les autres détails enregistrés par leurs yeux. Souvent, un uniforme produit le même effet.

Maronick s'était fait pousser une moustache, avec l'aide d'une maison d'accessoires de théâtre, et, lorsqu'il s'arrêta au bureau de la T.W.A., Malcolm ne le reconnut pas. Mais la voix suave de Maronick attira son attention et il tendit l'oreille à la conversation.

— Je m'appelle James Cooper. Vous avez une réservation pour moi, je crois.

L'employée du bureau eut un léger mouvement de tête pour remettre en place une mèche auburn vagabonde.

— Oui, monsieur Cooper. Vol 27 pour Chicago. Vous avez encore quinze minutes avant l'embarquement.

— Parfait.

Maronick paya son billet, fit enregistrer son unique valise et s'éloigna du comptoir, sans but défini. Presque vide, songea-t-il. Bien. Quelques employés, normal ; une mère avec son bébé, normal ; de vieux poivrots, normal ; une collégienne, normal. Pas de groupes d'hommes désœuvrés. Pas de galopade en direction du téléphone, non plus chez la fille du bureau. Tout paraissait normal. Il se détendit davantage et se mit à arpenter l'aérogare pour bien vérifier et donner à ses jambes l'exercice qui allait leur manquer pendant ce long vol. Il ne remarqua pas le capitaine de vaisseau qui l'accompagnait lentement, à vingt pas.

Malcolm faillit réviser son plan, en voyant Maronick aussi sûr de lui. Mais il était trop tard. L'aide pouvait ne pas arriver à temps et Maronick s'envoler. En outre, c'était une chose que Malcolm devait accomplir lui-même. Il maîtrisa sa nervosité, causée par la drogue. Il n'aurait pas d'autre occasion.

L'aéroport National, bien que pas très beau, est attrayant. Maronick se donna le loisir d'admirer la symétrie des couloirs qu'il parcourait. De jolies couleurs, des lignes harmonieuses.

Tout à coup, il s'immobilisa. Malcolm n'eut que le temps de se jeter derrière un présentoir de livres de bandes dessinées. La marchande lui jeta un regard foudroyant, mais ne dit rien. Maronick regarda sa montre et s'interrogea rapidement. Il avait juste le temps. Il reprit son chemin, mais cette fois à vive allure et non plus d'un pas nonchalant. Malcolm suivit son exemple, évitant soigneusement de faire résonner ses pas sur le sol de marbre. Maronick vira soudain à droite et passa une porte qui se referma derrière lui.

Malcolm alla vivement à la porte. Sa main qui tenait l'arme à feu sous l'imperméable transpirait sous l'effet de la chaleur, de la drogue et de l'énervement. Il s'arrêta devant la porte marron marquée « Messieurs ». Il regarda autour de lui. Personne. Maintenant ou jamais. Prenant bien soin de tenir l'arme entre son corps et la porte, il la tira de dessous sa veste. Il jeta le lourd imperméable sur un fauteuil proche. Finalement, le cœur battant, il poussa la porte.

Elle s'ouvrit facilement et sans bruit. De deux centimètres. Malcolm pu voir la blancheur luisante et chatoyante de la pièce. Des miroirs étincelaient sur le mur à sa gauche. Il poussa le battant de trente centimètres. Le mur du côté de la porte offrait une succession de trois lavabos brillants. Il voyait quatre urinoirs contre le mur d'en face et put apercevoir l'angle d'une cabine. Il n'y avait personne auprès des lavabos, ni devant les urinoirs. Un désinfectant au citron lui picota le nez. Il poussa complètement la porte et entra. Elle se referma derrière lui avec un *woosh* assourdi et il s'y appuya lourdement.

La pièce était plus claire que le jour printanier au dehors. La musique d'ambiance ne rencontrait pas de matériau capable d'absorber son volume, et le son se répercutait au contact des parois carrelées — des notes froides, cassantes, éclatantes. En face de Malcolm, il y avait trois cabines. Dans l'une — la plus à gauche —, il pouvait voir des chaussures dont le bout était pointé vers lui. Leur éclat ajoutait à la brillance de la pièce. La flûte, dans la petite boîte sonore du plafond, posait une question musicale pleine de gaieté, à laquelle le piano répondait. Lentement, Malcolm leva son arme. Un bruit de papier hygiénique tournant sur un axe donnait la réplique à l'orchestre. La flûte siffla une note plus mélancolique encore, interrogeant une fois de plus. Le léger déclic du cran de sûreté de l'arme précéda le bruit du papier arraché et la douce réplique du piano.

L'arme sauta dans la main de Malcolm. Un trou déchira la porte de fin métal de la cabine. A l'intérieur, les jambes eurent une secousse puis remontèrent. Maronick, légèrement blessé au cou, cherchait désespérément à prendre son arme dans sa poche arrière, mais son pantalon était baissé sur ses chevilles. Maronick portait habituellement son arme dans un étui, à la ceinture ou sous le bras, mais il projetait de la dissimuler en passant le contrôle sur écran de l'aéroport. Il n'aurait probablement nul besoin d'un pétard à ce stade, surtout dans un grand aéroport très fréquenté, mais, prudent, il avait logé son feu dans sa poche arrière, cachette discrète mais peu facile à atteindre, le cas échéant.

Malcolm tira encore. Une autre balle déchira le métal, qui émit un grincement aigu, et alla se loger dans la poitrine de Maronick, l'envoyant dinguer contre le mur. Malcolm tira encore, et encore, et encore, et encore. L'arme recracha ses cartouches vides sur le carrelage du sol. L'odeur amère de la cordite se mêla au citron du désinfectant. La troisième balle de Malcolm éventra Maronick. Il eut un faible hoquet et tomba le long du côté droit de la cage métallique. Son bras affaibli appuya sur la chasse d'eau. Le fracas de l'eau emportant les déjections noya pour un instant ses sanglots et les toussotements de l'arme. Lorsque Malcolm tira pour la quatrième, une hôtesse qui passait, au bruit de cette toux étouffée, se souvint qu'on était encore à peine sorti de l'hiver. Elle se promit d'acheter des vitamines. Cette balle manqua la silhouette de Maronick en train de s'affaisser. Le plomb se fracassa sur la paroi carrelée, envoyant des petits bouts de métal dans les murs métalliques et dans le carrelage du plafond. Quelques-uns vinrent frapper Maronick dans le dos mais cela ne changea rien. La cinquième balle de Malcolm se logea dans la hanche gauche de Maronick, replaçant le mourant sur le siège.

Malcolm voyait les bras et les pieds de l'homme affalé sur une cuvette de W.C. Quelques taches rouges maculaient le dessin du carreau. Lentement, presque délibérément, le corps de Maronick commença à glisser sur le sol. Malcolm devait être sûr de son affaire avant de se trouver face à face avec le visage de l'homme, aussi pressa-t-il la détente pour les deux derniers projectiles. Un genou maladroit sur une jambe nue et étonnamment dépourvue de poils vint heurter une cloison de la cabine. Le corps se déplaça légèrement en arrivant au sol. Malcolm put voir une partie de la figure pâle. Avec la mort les traits frappants de Maronick revêtaient une stupidité vitreuse plutôt ordinaire. Malcolm laissa tomber l'arme. Elle glissa sur le sol jusque près du corps.

Il fallut à Malcolm quelques minutes pour trouver une

cabine téléphonique. Finalement, une charmante hôtesse orientale vint en aide à l'officier de marine plutôt hébété. Il dut même lui emprunter une pièce de monnaie.

— 493-7282. Le voix de Mitchell tremblait légèrement.

Malcolm prit son temps. D'une voix très lasse, il dit :

— Ici Malcolm. C'est terminé. Maronick est mort. Envoyez donc quelqu'un me chercher. Je suis à l'aéroport National. Maronick aussi. Je suis le type en uniforme de la Marine, près de la gare Nord-Ouest.

Trois voitures de policiers arrivèrent deux minutes avant la brigade mobile appelée par le préposé au nettoyage qui avait découvert des cuvettes plus que sales dans ses toilettes.

Le tout est égal à la somme de ses parties.
Concept mathématique traditionnel.

— C'est comme s'il avait tiré sur des oiseaux en cage.

Les trois hommes sirotaient leur café. Powell regardait le vieux monsieur souriant et le Dr Lofts.

— Maronick n'avait aucune chance de s'en sortir.

Le vieux monsieur regarda le docteur.

— Pouvez-vous expliquer les agissements de Malcolm ?

L'homme corpulent pesa sa réponse et déclara :

— Tant que je ne lui ai pas parlé longuement, non. Vu ses expériences de ces derniers jours, tout particulièrement la mort de ses collègues, le fait qu'il croie la jeune fille morte, son éducation, son entraînement et la situation dans laquelle il s'est trouvé impliqué, sans compter l'effet possible de la drogue, je trouve sa réaction logique.

Powell approuva d'un signe de tête. Il se tourna vers son supérieur et demanda :

— Comment va Atwood ?

— Oh, il vivra, un certain temps en tout cas. Je me suis toujours étonné de sa balourdise. Il se débrouillait trop bien pour être l'idiot qu'il voulait paraître. Il est remplaçable. Qu'allons-nous faire pour la mort de Maronick ?

Powell eut un rire rentré.

— Rester extrêmement vigilants. La police y répugne, mais nous avons fait pression sur elle pour qu'elle veuille bien admettre que le tueur de la colline du Capitole s'est suicidé dans les toilettes de l'aéroport National. Nous avons dû, naturellement, graisser la patte du préposé au nettoyage pour lui faire oublier ce qu'il avait vu. Mais ça ne présente aucune difficulté réelle.

Un téléphone sonna, à proximité du coude du vieux monsieur. Il écouta un instant puis raccrocha. Il appuya sur un bouton proche de l'appareil et la porte s'ouvrit.

Malcolm se remettait de l'état de transe causé par la drogue. Il avait été pendant trois heures dans un état voisin de l'hystérie et avait parlé sans discontinuer. Powell, le Dr Lofts et le vieux monsieur avaient entendu toutes ces journées condensées en trois heures. Quand il eut terminé, ils lui dirent que Wendy était vivante et lorsqu'ils l'emmenèrent pour la voir, il était abruti par l'épuisement. Il regarda fixement la silhouette qui dormait paisiblement dans la chambre brillante aseptisée et ne parut pas avoir conscience de la présence de l'infirmière debout à côté de lui.

— Ça va aller beaucoup mieux.

Elle eut beau le répéter deux fois, elle n'obtint de lui aucune réaction. Malcolm ne vit de Wendy qu'une petite tête emmitouflée dans des bandages et une forme, sous un drap, reliée par des fils et des tubes de plastique à une machine compliquée.

— Mon Dieu ! chuchota-t-il, avec un mélange de soulagement et de regret. Mon Dieu !

Ils le laissèrent planté là, silencieux, pendant quelques minutes, avant de l'envoyer se remettre. Maintenant, il portait des vêtements provenant de chez lui, mais il avait l'air bizarre, même dans ses propres habits.

— Ah, Malcolm, cher ami, asseyez-vous. Nous ne vous garderons pas longtemps. Le vieux monsieur était lancé dans un grand numéro de charme qui ne rencontrait chez Malcolm qu'indifférence.

— Maintenant, vous n'avez plus aucun souci à vous faire. Nous nous sommes occupés de tout. Quand vous vous serez bien reposé, nous sommes très désireux de vous voir revenir pour parler avec nous. Vous le ferez, n'est-ce pas, mon garçon ?

Malcolm regarda lentement les trois hommes. Sa voix leur parut très vieille, très fatiguée. A lui, elle fit l'effet d'une voix nouvelle.

— Je n'ai guère le choix, non ?

Le vieux monsieur sourit, lui tapota le dos et, en grommelant des banalités, l'accompagna à la porte. Quand il revint s'asseoir, Powell le regarda et dit :

— Eh bien, monsieur, c'est la fin de notre Condor.

Les yeux du vieil homme pétillèrent.

— N'en soyez pas si sûr, Kevin, n'en soyez pas si sûr.

DANS LA MEME COLLECTION

BARNARD C., Les hommes ne meurent jamais.
BARRAULT G., La foire aux crabes.
BARRETT M.E., Accident of love.
BERGIUS C.C., Le médaillon.
CARADINE A., L'acteur.
DESRIAUX J., La solution.
LEVIN M., Les pionniers.
MARSHALL W.G., La combine.
MILLER J.P., Liv.
PAGE Th., Les insectes de feu.
PUJOL A., Chasseur d'hommes.
RASCOVICH M., Les maîtres de Falkenhorst.
ROBBINS H., Le pirate.
SUSANN J., The love machine ; Une fois ne suffit pas.
WALSH R., La colère des justes.

ACHEVÉ D'IMPRIMER
LE 29 SEPTEMBRE 1975
SUR LES PRESSES DES
ETS DIGUET-DENY
IMPRIMEUR - RELIEUR
PARIS - BRETEUIL-SUR-ITON

Dépôt légal : 3e trimestre 1975. — No d'impression : 1468